La fille qui voulait
être Jane Austen

Polly Shulman

La fille qui voulait
être Jane Austen

Traduit de l'anglais (américain)
par Cécile Moran

wiz
Albin Michel

Polly Shulman a grandi à New York et est diplômée de l'université Yale. Elle a travaillé pour *The New York Times* et *Newsday* notamment, et a contribué à des versions cinématographiques de l'œuvre de Jane Austen.

Titre original :

ENTHUSIASM

(Première publication : Speak, published by Penguin Group, New York, 2006)

© Polly Shulman, 2006

Pour la traduction française :
© Éditions Albin Michel, 2010

Pour Anna Christina et Andrew

Chapitre 1

*Où le lecteur fait la connaissance
de l'Enthousiaste. – L'appel du Grand Amour. –
Un mystérieux inconnu. – Le plan d'Ashleigh.*

Il n'est sans doute rien de plus exaspérant pour une personne raisonnable que de se trouver attachée par l'affection et une longue proximité à une Enthousiaste. Je parle, hélas, d'expérience : ma meilleure amie et voisine d'à côté, Ashleigh Marie Rossi, appartient à cette espèce.

L'été dernier, Ashleigh était dingue des Pulls Mouillés. Le jour où leur nouvel album est sorti, elle a insisté pour que je l'accompagne au Galaxy Music où ils distribuaient des billets gratuits pour leur prochain concert. Nous sommes parties à dix heures du matin – l'aube, selon l'horloge biologique d'Ashleigh.

– Ash, la distribution de billets commence à minuit. Qu'est-ce qu'on va fabriquer pendant quatorze heures ?

– Tu ne voudrais pas te retrouver coincée en bout de file, quand même ? Ne t'inquiète pas. Tiens, prends ça.

Elle a tiré deux gros pulls en laine de son placard et m'en a collé un dans les bras.

– À quoi tu veux qu'ils nous servent ? Il fait un million de degrés dehors. On va cramer au soleil toute la journée.

– Justement ! s'est-elle exclamée en brandissant deux cubis d'eau minérale de cinq litres. Les Pulls Mouillés, tu piges ? D'abord, on aura la tenue adéquate et en plus, on restera au frais.

– Ash, t'es cinglée ! Va-t-en ! Ne t'avise pas de m'éclabousser ! Je ne veux pas me trimballer en plein centre-ville avec des vêtements humides sur le dos !

J'ai fini par la convaincre de refermer son bidon, mais rien n'a pu la décider à abandonner les pulls. Nous les avons enfilés sur le trottoir devant le Galaxy Music et nous avons attendu. Les gens nous jetaient des regards interloqués en franchissant la porte du magasin. Je me cachais derrière mon livre, *Orgueil et préjugés* de Jane Austen. À six heures, lorsque, le cœur battant, je m'apprêtais à lire la scène de la demande en mariage, le père d'Ashleigh est arrivé avec des sandwichs. À neuf heures, d'autres fans des Pulls Mouillés ont commencé à se mettre en rang derrière nous.

Au bout du compte, les pulls n'étaient pas de trop. Vers onze heures, les nuages ont crevé, libérant une pluie diluvienne. Ashleigh, trempée mais ravie, a déclaré que le destin faisait bien les choses.

Son comportement ne me surprenait plus. À l'école primaire déjà, ses frasques me faisaient rougir de honte. Pas un jour sans que je pique un fard. Pendant sa période « La Petite maison dans la prairie », j'ai dû déployer des trésors de persuasion pour l'empêcher de porter sa chemise de nuit à fleurs au centre commercial. Elle est entrée dans sa phase « Harriet l'espionne » au moment où mes parents se séparaient, quand nous avions onze ans. Il a fallu que je lui confisque deux carnets de notes avant qu'ils tombent entre les mains des avocats chargés de régler le divorce. Et à l'époque où son cœur vouait allégeance au roi Arthur, elle donnait du « Messire » et du « Dame » à tout le monde, des profs jusqu'aux chauffeurs de bus.

Même si nos camarades de classe la trouvaient bizarre, ils admiraient son courage et son imagination débordante. Rien n'embarrassait Ashleigh, jamais. Se moquer d'elle n'avançait à rien puisqu'on ne pouvait pas la faire pleurer. Sa réputation d'excentrique déteignait sur moi, un peu de son aura prestigieuse aussi. Être copine avec Ashleigh en primaire m'a permis d'éviter d'être l'exclue ou le souffre-douleur de service.

Dans le cycle secondaire, en revanche, c'est devenu une autre histoire. Les ricanements et les regards scrutateurs continuaient de lui glisser dessus – malheureusement. Oh, nous avions toujours des tas d'amies, des filles comme Emily Mehan et les jumelles Gerard par exemple. Cependant, encore un exploit d'Ash (comme cette fois, en troisième, où elle a emprunté le sac à main de Michelle Jeffries pour un tour de passe-passe et en a éparpillé le contenu par terre, dont une sélection d'articles d'hygiène intime), et je ne garantissais plus notre réputation auprès de la gent féminine. Quant aux garçons... Ne remuons pas le couteau dans la plaie.

Bien qu'Ashleigh ait tendance à s'emporter, les Pulls Mouillés restaient un sujet d'engouement très respectable pour une élève de seconde du lycée Byzance. Je priais pour que cette tocade dure les premières semaines de la rentrée. Était-ce trop demander ? Oui, évidemment.

Environ un mois après l'épisode de la distribution de billets, par une après-midi torride, j'étais assise à ma fenêtre en train de m'arracher avec satisfaction un gros lambeau de peau morte sur un coup de soleil quand quelqu'un a toqué à la vitre. En levant les yeux, j'ai aperçu l'Enthousiaste en personne perchée dehors. (Pour des raisons qui relèvent autant d'une certaine commodité que de la protection de notre vie privée, Ashleigh et moi-même nous rendons visite par l'intermédiaire d'un chêne dont la ramure s'étend de ma chambre jusqu'à la sienne.) Elle portait un ample vêtement noir qui s'accrochait aux brindilles : sa robe de gospel de l'an dernier.

– Miss Lefkowitz ! Miss Lefkowitz ! Ma chère Miss Lefkowitz ! criait-elle.

– Pourquoi tu m'appelles « Miss » ? ai-je demandé en ouvrant la fenêtre en grand. Tu ne vas pas développer une lubie pour la bienséance, si ?

Ashleigh a adopté sa deuxième expression préférée, juste après la Lueur de Folie : le Reproche mêlé de Dégoût.

– La bienséance ? s'est-elle écriée. Dieu me préserve de toute critique à cet égard ! Ma chère Miss Lefkowitz, pourquoi avoir attendu si longtemps avant de m'initier au bonheur inégalable de la lecture des romans de Miss Austen ? Elizabeth Bennet ! Jane Bennet ! L'incomparable Mr. Darcy !

Elle agitait sous mon nez l'exemplaire d'*Orgueil et préjugés* que je lui avais prêté. Il pleuvait des petits glands et des feuilles autour d'elle. Cette vision m'a déprimée. Combien de semaines allions-nous devoir passer au dix-neuvième siècle ? Et dire que j'étais directement responsable... Ashleigh, tout en s'extasiant sur les héroïnes d'Austen et leurs soupirants, faisait des bonds dans la pièce, provoquant des catastrophes en série avec ses jupes. Moi, je méditais sur la situation. Pour la première fois, au lieu de suivre Ashleigh dans un nouveau caprice, je l'avais devancée et influencée avec un de mes propres centres d'intérêt. Mais son enthousiasme n'allait sans doute pas tarder à éclipser le mien. Si elle s'appropriait mes livres préférés, qu'allait-il me rester ? Moi aussi, j'étais capable de m'enflammer. Je nourrissais toutefois une passion profonde et intérieure. De celles auxquelles on fait facilement de l'ombre. Par exemple, jamais je n'aurais parlé la langue de Jane Austen. J'aurais trouvé cela irrespectueux et indigne de mon auteur favorite.

Tandis que je secourais mon radio-réveil en le hissant par le fil (la tornade Ash avait frôlé ma table de chevet), je me reprochais intérieurement mon égoïsme. Ashleigh n'hésitait jamais à partager ses coups de cœur, elle. Si seulement ! Non, elle insistait toujours pour m'associer, souvent malgré moi. Stratégie et science militaire ? Danse classique ? Très peu pour moi ! J'avoue que la fabrication de bonbons et les reptiles me plaisaient bien, par contre. Je n'ai réussi à me défiler qu'à une occasion, le jour où elle s'est aperçue que je n'avais pas les moyens de la suivre dans sa folie du moment : les chevaux. Et savez-vous comment ma chère amie a réagi ? Elle a choisi de laisser tomber par solidarité. Elle a étouffé un amour grandissant pour l'équitation parce qu'après le divorce, ma mère ne pouvait pas me payer les leçons. Sa bonté d'âme ne connaît aucune limite. Chaque fois que ses caprices m'ont attiré des ennuis (tel le jour où j'ai bousillé les ustensiles de barbecue de mon père en creusant des tranchées dans le jardin), elle a offert ses économies et passé d'innombrables samedis à tenter de réparer les dégâts.

J'étais en pleine réflexion sur ma mesquinerie quand un rebond frénétique d'Ashleigh m'a fait sursauter. Quand elle est survoltée, elle rebondit de partout. Littéralement. Surtout depuis un an. De mon côté, j'ai beau me secouer en y mettant toute ma bonne volonté, j'obtiens à peine un frémissement.

– Et je crois que je sais où les trouver !

– Où trouver quoi ? ai-je répondu.

Ashleigh m'a crucifiée de son Regard Tu-N'écoutes-Pas, une variante du traditionnel Reproche mêlé de Dégoût.

– Non pas « quoi », mais « qui ». Nos chevaliers servants, voyons ! Imaginez une héroïne sans héros ! Si mes souvenirs de l'an dernier sont exacts, nous aurons de grandes difficultés à rencontrer ne serait-ce qu'un seul gentleman à Byzance. Alors deux, n'y songeons même pas ! Heureusement, j'ai la solution.

14

À l'évidence, elle avait terminé la partie recherche et se préparait déjà à passer à l'action : mettre en scène une histoire d'amour vieille de deux siècles avec nous deux dans les rôles principaux. Je commençais à flairer des humiliations cuisantes en chaîne.

Sans grand espoir, j'ai tenté de la détourner de ses projets.

– Je croyais que tu méprisais les filles qui ne pensaient qu'aux garçons, comme Michelle Jeffries. Tu m'as toujours dit que les béguins, c'était pour les cruches.

Debout sur mon lit, Ashleigh s'est redressée de toute sa taille – ce que j'aurais été incapable de faire à sa place puisque ma tête aurait heurté le plafond en pente. Elle est peut-être plus pulpeuse que moi, mais elle mesure quinze centimètres de moins.

– Je ne vous parle pas de béguins, Miss Lefkowitz, a-t-elle répliqué, mais du Grand Amour.

Ah, le Grand Amour ! Quelle fille n'en a pas rêvé ? Même la plus timide d'entre nous espère rencontrer l'âme sœur, l'homme qui comprendra ses espoirs et ses peurs, rira de ses plaisanteries, lui offrira son manteau dans la fraîcheur du soir, charmera ses parents et l'admirera malgré ses défauts (au hasard, un menton pointu ou un bonnet A).

Bien que je ne l'aie jamais avoué, ni à Ashleigh ni à personne d'autre, je partageais ce rêve. Mon amoureux idéal empruntait les traits d'un mystérieux inconnu. Je l'avais vu cinq fois. Près d'une piscine naturelle d'abord, par un samedi venteux, à la fin du printemps. Le chapeau d'une femme s'était envolé ; les bourrasques l'emportaient vers l'eau quand mon bel inconnu l'a intercepté du bout d'une branche morte en exécutant un saut audacieux. Ensuite, je l'ai repéré à deux reprises au parc en train de se balader (à pied, puis à cheval). La quatrième fois, c'était à travers la fenêtre du Java Jail ; il buvait ce qui ressemblait à un mokaccino avec une bande de copains. Et pour finir, je l'ai débusqué à la bibliothèque. Il sortait en traînant derrière lui une agréable brise climatisée. Je m'apprêtais à entrer, il m'a tenu la porte.

J'espérais en secret que l'homme de ma vie aurait son assurance tranquille, son charme et sa fossette verticale bien marquée à la pointe du menton.

Avec de telles pensées, je n'aurais pas dû être surprise par les révélations d'Ashleigh. Si vraiment elle nourrissait le même genre de fantasme que moi, la paix de son âme était menacée : en robe de gospel et chaussons de danse classique, elle avait toutes les chances de faire fuir le Grand Amour.

– Ash, tu n'as pas l'intention de porter ça au lycée, au moins ? Aucun garçon ne va s'intéresser à toi. (Ni à moi non plus par la même occasion, ai-je ajouté en mon for intérieur.) S'il te plaît, s'il te plaît, s'il te plaît, enfile un jean pour la rentrée !

Comme d'habitude, Ashleigh a fait la sourde oreille.

– Est-il bien nécessaire de vous rappeler, Miss Lefkowitz, que la décence et la pudeur interdisent aux jeunes femmes de porter des pantalons ? Il nous est défendu de révéler la forme de nos membres inférieurs.

16

« Ça m'étonnerait que ton futur chevalier servant se contente de deviner la forme de tes membres inférieurs », ai-je songé très fort. Heureusement, il me restait une semaine pour la raisonner avant la rentrée.

– Que dirais-tu de m'appeler Julie ? ai-je continué. Et de me tutoyer ? Nous sommes assez intimes, à mon avis.

– Ma très chère Julia, tu as raison, entièrement raison. Après tout, dans *Orgueil et préjugés*, Miss Elizabeth Bennet s'adresse à son amie de cœur, Miss Charlotte Lucas, par son prénom, et la sincérité de notre attachement n'a rien à envier à la leur. Mais je t'en prie, mon amie, permets-moi de poursuivre ma démonstration. Comme je l'ai précisé, je crois avoir la solution à notre casse-tête : où trouver nos héros ?

– *Notre* casse-tête ? Il n'y a que toi que ça empêche de dormir.

Dans son impatience, Ashleigh m'a secoué le bras et a relâché un peu ses efforts de langage.

– Tu vas m'écouter, oui ? Prenons l'exemple des jeunes sœurs Bennet, toujours en quête de compagnons plaisants et pleins d'entrain. Quelle société fréquentent-elles avec assiduité ? Celle des jeunes hommes en uniforme cantonnés non loin de leur propriété !

Suggérait-elle d'aller draguer les élèves officiers de West Point ? L'Académie militaire surplombe l'Hudson. Elle se situe au sommet d'un escarpement invisible depuis la ville à cause d'un méandre du fleuve. Là-haut, des étudiants courageux et disciplinés s'entraînent à devenir les leaders de notre grande armée. L'an dernier, le pivot des Bullfrogs de Byzance a refusé Harvard pour entrer à West Point.

– Oh, Ashleigh, tu plaisantes ! Les élèves de West Point sont beaucoup trop vieux. En plus, ils ont des coupes en brosse. Tu vas nous faire traduire en cour martiale !

Elle m'a interrompue en levant la main.

– Écoute-moi jusqu'au bout, Julia. Ainsi que tu le soulignes fort à propos, les élèves officiers sont mal assortis à des demoiselles dans la fleur de la jeunesse telles que nous. Non, je propose une autre population de gentlemen en uniformes. En bref, je veux parler des étudiants du lycée Forefield.

C'était à peine moins pire. Forefield, une école privée réservée aux garçons, domine Byzance, géographiquement et socialement parlant. On peut admirer le bâtiment principal, l'ancien hôtel particulier de la famille Forefield, depuis les quatre coins de la ville, y compris la fenêtre de ma mansarde. Petite, je le prenais pour un manoir enchanté abritant une sorcière ou une princesse. Aujourd'hui, sa vision m'évoque plutôt un repaire de garçons empotés, avec leurs armoiries brodées sur la pochette de leur blazer. Des snobinards, des blaireaux et des mauvaises langues. Ou des mauvaises langues snobs et ringardes. J'hésite.

– Ah. Forefield. Et quel est ton plan ? Te déguiser en garçon et entrer en douce ? L'ennui, c'est qu'ils risquent de voir tes membres inférieurs. Oups !

Avec un regard mi-agacé, mi-triomphal, Ashleigh a fouillé dans la poche de sa robe et en a sorti un papier :

18

la photocopie d'une page de journal. Elle me l'a tendue en silence.

– « Travaux de restauration dans la bibliothèque », ai-je lu à voix haute. « La réfection complète de la Bibliothèque Scientifique et du Centre de Ressources Didactiques Robert Rive de Forefield sera terminée à temps pour... »

– Non, pas ça. Lis dessous.

– Quoi ? Cette annonce ? « Bal d'automne de Forefield. Le président et les professeurs convient les lycéens et les anciens élèves, ainsi que leurs invités, au 97ᵉ Bal d'automne annuel qui aura lieu le samedi 12 octobre à 20 h 00. Tenue de soirée exigée. » Et alors ? Nous n'avons pas d'invitations.

– Mais on s'en fiche ! Enfin, je veux dire : cela n'a guère d'importance, s'est-elle corrigée aussitôt. Je gage que deux invitées de plus ou de moins passeront inaperçues dans la cohue.

– Tu veux t'incruster à une Réunion des Constipés Anonymes ? T'as fumé un carambar ou quoi ? Quel est le rapport avec Jane Austen ?

– Voyons, Julia, considère les avantages de ma proposition : où mieux que parmi ces jeunes hommes en smokings, rompus aux chorégraphies distinguées des danses de salon mais peu accoutumés à la présence de demoiselles – et, partant, voués à se comporter envers nous avec respect et modestie – pourrions-nous rencontrer nos fiancés ? Peux-tu être aveugle à la perfection de ce plan ?

J'avoue que je ne voyais pas de quoi m'extasier. Selon mon expérience, les garçons qui côtoyaient peu les filles étaient plutôt moins susceptibles que les autres de bien se tenir.

Le lointain écho d'une voix maternelle nous est parvenu à travers la porte.

– Serait-ce Mrs. Lefkowitz que j'entends ?

– Ah, non ! Tu m'appelles comme tu veux, mais tu n'appelles sûrement pas ma mère Madame Lefkowitz. Déjà qu'elle détestait ça quand elle était mariée ! Miss Gould, à la rigueur, si Helen n'est pas assez formel pour toi.

– Je crois que « Madame » tout court conviendra.

Avant que j'aie le temps de formuler de nouvelles objections, l'intéressée a toqué à la porte.

– Entre, maman !

– Chérie, je... Oh, bonjour, Ashleigh ! Il me semblait bien avoir entendu quelqu'un sauter comme une puce, mais je ne t'avais pas vue entrer.

Cela ne cessera jamais de nous étonner : comment expliquer qu'après tant d'années, nos parents n'aient toujours pas compris à quoi servait notre arbre ?

– Que je suis aise de vous voir ! a lancé Ashleigh.

– Oh, je suis bien aise de vous rencontrer aussi, messire Ashleigh ! Dieu vous donne le bonjour. Ou plutôt le bonsoir. Avez-vous occis moult dragons aujourd'hui ?

Mortellement offensée, mon amie n'a pas daigné répondre.

– Maman, tu retardes de plusieurs siècles.

– Oh, vraiment ? a-t-elle continué d'un ton aimable. À quoi voyez-vous cela ? La grammaire ? De grâce, pardonnez à votre pauvre vieille mère qui a bien du mal à suivre les nouvelles tendances à la mode chez les jeunes gens. C'est l'heure du dîner, chérie. Ashleigh, tu es la bienvenue si tu veux rester.

– Je vous sais infiniment gré de votre charmante invitation, madame, mais je n'avais pas remarqué que le jour était déjà si avancé. Mes parents m'attendent. Adieu.

Là-dessus, l'Enthousiaste a tiré sa révérence, puis a descendu l'escalier d'un pas sautillant.

Chapitre 2

Où l'auteur cherche conseil. –
Scène de la vie domestique. – Leçons de danse.

Le lendemain tombait un mardi, le « Jour du Père »
dans les familles Lefkowitz et Gould. J'étais ravie. Non
que je meure d'envie de passer du temps avec papa. Les
relations entre nous sont restées tendues depuis qu'il
nous a quittées, ma mère et moi, pour l'Irrésistible Comptable, alias Amy. J'étais surtout aux anges parce que
j'avais besoin des lumières de sa voisine, la personne la
plus futée que je connaisse : Samantha Liu.

Une visite chez mon père et Amy était presque toujours suivie ou précédée d'un saut chez Samantha. Nos
géniteurs, tous deux pédiatres, partagent un cabinet
médical et une haie commune au fond de leurs jardins.
La mère de Samantha, allergologue de son état, est aussi
propriétaire d'un bout de la haie, mais elle exerce dans
un cabinet à part. Le long trajet en bicyclette m'a laissé
tout le loisir de tourner et de retourner le plan dément
d'Ashleigh dans ma tête. Bien que papa et belle-maman
ne m'attendent pas avant l'heure du dîner, je suis partie
tôt en espérant que Sam aurait du temps devant elle. Il

y a des sujets qu'il vaut mieux aborder de vive voix, surtout lorsqu'ils concernent une certaine énergumène qui habite à une couronne d'arbre de chez moi. Il arrive qu'Ashleigh et moi surprenions mutuellement nos conversations téléphoniques.

Coup de bol : Samantha était chez elle. Une fois confortablement installées dans le hamac des Liu avec chacune un Canada Dry à la main, je lui ai ouvert mon cœur.

– Bon, Sam, mets le générateur de conseils en préchauffage.

– Quel est le problème ? Encore des soucis de marâtre ?

– Je n'ai pas vu Amy depuis la semaine dernière. Non, pour le moment, c'est Ashleigh qui me préoccupe.

Un large sourire s'est dessiné sur le visage de ma confidente. Son affection pour Ashleigh m'a toujours étonnée. Ces deux-là s'adorent ! Pourtant Sam a un an de plus et, question maturité, au moins un millénaire d'avance. Avec sa réputation d'excentrique, Ash n'a aucune chance d'approcher les bandes les plus enviées de Byzance (ce qui ne lui fait ni chaud ni froid, d'ailleurs). Samantha, elle, jouit du statut de gymnaste surdouée, doublée de celui de jolie fille. Sans compter qu'elle était déléguée des classes de seconde l'année dernière et qu'elle a pour frère le très célèbre et sexy Zach Liu, un objet de fantasme quasi universel parmi les lycéennes malgré son départ pour la fac il y a un an. Qu'elle puisse se permettre de témoigner de l'amitié à quelqu'un d'aussi décalé qu'Ashleigh (ou moi, soyons honnêtes) est révélateur de sa popularité. Elle n'en demeure pas moins une camarade loyale et, quoique douée pour entortiller les gens, foncièrement gentille.

– Qu'est-ce qu'elle a encore été chercher ? Laisse-moi deviner : elle a envahi votre baignoire avec sa collection d'étoiles de mer ? Elle creuse une mine d'émeraudes sous votre cave et vous avez peur que la maison s'écroule ? Non, attends, j'ai trouvé : elle a décidé d'aller à l'école déguisée en Martha Washington.

Avec une intuition pareille, pas étonnant que Sam ait autant de succès.

– En plein dans le mille ! ai-je répondu. Ou presque : il ne s'agit pas de Martha Washington, mais de Jane Austen. Tu n'étais vraiment pas loin. Au moins, Jane Austen ne porte pas de perruque blanche. Ash refuse d'enfiler autre chose qu'une grande jupe. Ni jean, ni pantalon. Elle ne veut pas qu'on voie ses « membres inférieurs ».

– Oh là là... Je suppose que tu as essayé de la raisonner ? Tu lui as dit que personne ne voudrait s'installer à côté d'elle en classe ?

– Rappelle-moi depuis quand Ashleigh est sensible à la raison ? De toute façon, elle sait bien que moi, je m'assiérai à côté d'elle.

– Sauf que vous ne suivrez peut-être pas les mêmes cours. Évidemment, la supplier n'a pas marché non plus ?

– Évidemment.

– Et si tu l'incitais à se passionner pour un nouveau truc ? L'équipe de football **américain du lycée par** exemple ?

J'ai souri en imaginant Ashleigh en pom-pom girl.

25

– Malheureusement, c'est ça, son nouveau truc. Jane Austen a chassé les Pulls Mouillés de son cœur depuis hier.

– Alors il ne reste plus que la négociation. Fais-lui du chantage jusqu'à ce qu'elle accepte de se fringuer normalement. En attendant, il faut réfléchir à une sorte de tenue intermédiaire entre les deux siècles : une jupe longue noire ou une jupe hippie, par exemple. Elle ne sera pas à la mode mais au moins, elle n'aura pas l'air cinglé. Tiens, tu sais quoi ? Si tes menaces n'ont produit aucun effet d'ici ce week-end, dis-le-moi et je demanderai à des copines de la gym de venir en jupe longue lundi prochain. Comme ça, Ashleigh ne sera pas toute seule.

Quelle générosité, décidément ! Même les plus mauvaises langues n'oseraient pas critiquer le style d'une élève de seconde si les gymnastes, nos sportives les plus titrées, étaient habillées comme elle. L'an dernier, l'équipe féminine de gymnastique s'est classée première dans deux fois plus de compétitions que les équipes de basket et de football américain réunies. Elles étaient la fierté de l'école et les leaders en matière de tendances.

– Et je ne t'ai pas raconté le pire, ai-je continué. Ashleigh a prévu de s'incruster à un bal du lycée Forefield. Elle veut que je l'accompagne.

Samantha a levé le pouce en signe de victoire derrière sa canette.

– Voilà ! Tu l'as, ton moyen de pression : dis-lui que tu n'iras que si elle renonce à la garde-robe bizarre.

– Pas question ! Tu me vois danser le quadrille avec des types en pingouin ? J'en mourrais de honte.

– Regarde la vérité en face, Julie : tu sais que tu finiras par craquer. On ne peut rien refuser à Ashleigh. Autant tirer profit de la situation.

Ça me contrariait de l'admettre mais elle marquait un point.

Ashleigh a appelé alors que nous avions à peine terminé nos blancs de poulet marinés dans du jus de grenade, avec leur salade aux noix et aux jeunes pousses d'épinards arrosée d'une pointe de vinaigrette à l'orange. La cuisine de ma belle-mère est délicieuse, même si on peut déplorer son manque de simplicité.

Elle était tout excitée. Je lui ai répondu qu'on discuterait le lendemain et je me suis dépêchée de raccrocher. L'Irrésistible Comptable n'aime pas les adolescents qui restent pendus au téléphone. Surtout, elle n'aime pas Ashleigh. Ayant arraché mon père à une vie déréglée, elle tient à mettre en ordre le seul vestige de son passé sur lequel il n'a pas pu tirer un trait : mon existence. Du point de vue d'Amy, Ashleigh appartient au monde du chaos. Elle lui préfère de loin Samantha, qu'elle cite toujours en exemple. La réciproque n'est pas vraie. Cependant Sam me recommande vivement de garder de bonnes relations avec ma belle-mère. À l'inverse, Ash ne cache jamais ce qu'elle pense et m'encourage à l'imiter.

– C'était encore Ashleigh, mon chou ? m'a demandé

Amy. J'aimerais que tu dises à cette fille d'arrêter d'appeler quand on est en famille. Nous ne passons que quelques rares heures ensemble par semaine. Elle pourrait se mettre à notre place et faire l'effort de se montrer un peu plus délicate.

Ouais, ce serait vraiment dommage de gâcher quelques précieuses minutes en ligne avec mon amie, alors que je pourrais les passer avec toi à t'écouter la dézinguer. Voilà le genre de choses que je me retenais de balancer à Amy. Si je gagnais un dollar pour chaque remarque cinglante que je garde pour moi, je serais en mesure de financer le Prix de la Paix des Familles, ma version à moi du Nobel. Je le décernerais tous les ans au champion incontesté du self-control en famille. C'était trop injuste : je me privais du plaisir de bavarder avec Ashleigh et au final, je devais quand même essuyer les reproches de ma belle-mère !

– Tu n'es pas d'accord, Steve ? a-t-elle insisté.

– Mmm ? Si, bien sûr, a répondu mon père en se levant de table pour aller se réfugier dans son bureau – non sans avoir déposé un baiser sur le crâne de son épouse. Je suis heureux de voir mes deux petites femmes ensemble. Restez tranquillement assises ici, détendez-vous et rattrapez le temps perdu.

J'ai attendu que la porte se referme sur lui, puis j'ai pris mon sac avant de regagner ce qui me tenait lieu de chambre : une pièce que je partageais avec la machine à coudre de l'I.C. Qu'Amy ait un prétexte pour entrer à n'importe quel moment nuisait un peu à son charme mais, à défaut d'intimité, je pouvais y profiter d'un peu de tranquillité.

– Où vas-tu, mon chou ?

– J'ai des devoirs.

– Je croyais que la rentrée n'était que dans une semaine ?

– Lectures de vacances.

En réalité, j'avais déjà terminé le seul livre imposé, *Sa Majesté des Mouches*, depuis le mois de juin.

– Vraiment ? Quel est le programme ? Montre-moi ça... Oh, quelle chance ! Jane Austen, *Raison et sentiments* ! J'ai adoré ce bouquin. C'est mon écrivain préféré. Notre histoire d'amour, à ton père et moi, sort tout droit d'un roman d'Austen.

Ben voyons ! Comme si les horribles vamps et les voleuses de maris pouvaient inspirer Jane Austen, n'ai-je pas dit. Je me suis accordée un dollar imaginaire pour bonne conduite, portant le total de la soirée à deux dollars, puis j'ai filé à l'étage.

Avant de rentrer à la maison le lendemain matin, je me suis glissée chez les voisins. Trouvant Ashleigh endormie, je n'ai pas pu résister au plaisir de lui sauter sur les doigts de pieds. Elle a lâché un cri perçant.

– Juniper, dégage ! a-t-elle beuglé.

Plutôt que d'innocenter son chaton, j'ai miaulé en continuant à lui pincer les orteils. Au bout de quelques secondes, elle a cessé d'agiter les bras, ouvert les yeux et constaté qu'elle avait affaire à un autre membre de l'Espèce Humaine.

– Oh, c'est toi. Qu'est-ce que tu fais debout si tôt ? Quelle heure est-il ?

– Les chauves-souris dorment depuis belle lurette. Debout, feignasse !

Ashleigh a enfoui sa tête sous l'oreiller. J'aime le matin. C'est le seul moment de la journée où mon enthousiasme dépasse le sien.

– Bon, tant pis. J'espérais que tu avais des nouvelles fraîches pour moi, mais je repasserai, ai-je soupiré en me dirigeant vers la fenêtre.

Le stratagème a fonctionné. Bien réveillée, elle a bondi hors du lit. Plus exactement, elle s'est extirpée des draps à une vitesse à peine supérieure à celle de la jonquille déployant ses pétales humides au printemps. Vingt minutes plus tard, elle avait revêtu un assortiment d'habits plutôt original et repris ses manières austeniennes.

– Auriez-vous l'amabilité de m'inviter dans votre chambre, ma chère Miss Lefkowitz ? Elle est plus spacieuse, ce me semble...

– Tu veux dire : ta chère Julie...

– Remarque fort pertinente, ma merveilleuse Julia !

– Tu as une idée derrière la tête ?

Ma mansarde n'est pas plus grande que sa chambre ; cependant, au fil de ses fantaisies, Ashleigh a accumulé des tonnes d'objets. Elle possède en particulier un énorme dragon en papier mâché qui pend du plafond et qui vous rappelle à l'ordre dès que vous avez le malheur de traverser la pièce sans regarder. Il rappelle à l'ordre les grandes perches comme moi, en tout cas.

– C'est l'heure de notre leçon de danse, Julie au Pied Ailé ! a-t-elle déclaré en plongeant à travers ma fenêtre pour atterrir sur mon lit. Le jour J, au bal, nous ne pourrons pas décemment nous dérober à nos devoirs de *ladies*. Voilà pourquoi il est impératif que nous apprenions à exécuter les pas requis. J'ai apporté un petit ouvrage, a-t-elle ajouté en tapant l'oreiller avec un livre défraîchi, qui promet de nous instruire dans l'art de Terpsichore.

– Une minute, une minute ! Tu veux qu'on apprenne à danser en lisant un bouquin appelé *L'Art d'enterrer six corps* ? T'es complètement citronnée ou quoi ?

– Non : *L'Art de Terpsichore*. La muse de la danse, celle qui insuffle la grâce aux danseurs et guide leurs beaux mouvements.

Elle a écarté les bras pour faire une démonstration. Le désastre annoncé s'est produit. Heureusement, rien ne s'est brisé.

– Très gracieux, en effet, ai-je commenté en reposant ma lampe de bureau à sa place.

– En vérité, il ne s'intitule pas *L'Art de Terpsichore* (ce n'est que le sous-titre) mais *La Danse*. Plus précisément : *La Danse et ses Rapports à l'Éducation et à la Vie Sociale, comprenant une Nouvelle Méthode d'Instruction accompagnée d'un Guide Complet sur le Quadrille avec 250 illustrations*, d'Allen Dodworth. Publié à New York, 1888. Nouvelle Édition Augmentée.

31

– Je me fiche du titre exact. On n'apprend pas à danser dans les livres.

– Oh que si ! Il comporte 250 illustrations. Tu vois ?

Elle l'a ouvert au hasard.

– « Figure n° 48 : les Inconstants, ai-je lu. Contredanse à trois couples. Les danseurs se disposent en phalange derrière le couple meneur ; le premier cavalier tourne sur lui-même et présente son bras gauche au bras gauche du cavalier qui se trouve derrière lui ; les coudes croisés, ils échangent leurs places et leurs partenaires ; le premier cavalier continue de même jusqu'à la dernière cavalière. Alors le second cavalier, qui se trouve désormais en tête de la phalange, exécute à son tour la figure et ainsi de suite jusqu'à ce que chacun ait regagné sa place. S'ensuit une valse. » Eh bien, c'est clair comme de l'eau de boue.

– Sornettes ! C'est limpide. Le premier cavalier fait comme ça, et le second comme ça, ensuite il prend le bras de sa cavalière comme ça ; pendant ce temps, le troisième cavalier va là, et sa dame là, et puis le dernier couple les imite et à la fin, tout le monde danse. Allez, essaie, on va bien rigoler !

J'ai replacé ma lampe de bureau pour la deuxième fois.

– Si on commençait plutôt par une chorégraphie pour un seul couple ? Voyons... Le Galop, la Corbeille, la Esmeralda (ou Polka à Trois Temps), le Menuet, les Lanciers, le Quadrille... Tu réalises que plus personne ne connaît ces trucs aujourd'hui ? On ferait mieux de prendre des cours de fox-trot ou de twist. Ou de nous entraîner à gigoter avec un air digne.

– Le fox-trot ? Une danse du vingtième siècle ? Pouah !

– Qu'est-ce qui te fait croire qu'Elizabeth Bennet et Fitzwilliam Darcy dansaient la Esmeralda ? Ce livre date de 1888, soit soixante-quinze ans après la parution d'*Orgueil et préjugés*.

– D'accord, peut-être pas la Esmeralda, a admis Ashleigh, mais ils n'arrêtent pas de parler des Lanciers.

– Va pour les Lanciers. Toujours aussi populaire dans les endroits branchés. L'an dernier, les élèves se marchaient dessus pour arriver les premiers sur la piste de danse quand ils ont joué les Lanciers au bal du lycée.

Ash m'a toisée de son Regard Chargé de Mépris. Elle a saisi le volume de M. Dodworth à une main et a lu les instructions d'une voix haute et puissante tout en caracolant partout dans la pièce. Énième opération de sauvetage de ma lampe, qui commençait à être un peu bosselée même si l'ampoule restait intacte. Ma mère a passé la tête par l'entrebâillement de la porte.

– Je présume qu'Ashleigh est ici ? Bonjour, Ashleigh. C'est marrant, je ne t'entends jamais entrer. Rien de cassé ?

– Non, rien de grave, l'ai-je rassurée.

– Ah, Madame ! Vous arrivez à point nommé ! Faites-nous la gentillesse de vous joindre à nous, s'est écriée Ashleigh en la prenant par le coude. Figurez-vous qu'il nous manque un couple. Souhaitez-vous danser à la place du cavalier ou de la dame ?

– J'aimerais autant être une dame, je crois... Je n'aurai pas trop de mal à imaginer un cavalier invisible – ça me rappellera des souvenirs... Qu'allons-nous danser ?

– Un menuet, a répondu Ashleigh en lui montrant son livre.

– Un peu de musique nous faciliterait la tâche, qu'en pensez-vous ? a suggéré ma mère. Chérie, cours chercher les quatuors à cordes de Mozart dans la salle à manger... Oh ! et prends aussi un disque de Strauss, au cas où on voudrait valser. Ashleigh, tu veux m'aider ? On va pousser le bureau dans ce petit coin. Ça t'évitera peut-être de te cogner dedans.

Maman a maîtrisé la situation avec brio. Elle s'est avérée être une excellente danseuse. Qui l'eût cru ? À force de tournicoter avec le dos voûté sous le toit en pente, nous avons fini par dominer les trois mouvements essentiels du quadrille : la promenade, les pas glissés et la balance. Ensuite, nous nous sommes entraînées à les combiner pour former des figures. Autre bonne surprise : cette danse était moins ringarde et compliquée que je ne m'y attendais. Ensuite, nous avons travaillé le menuet, un brin plus complexe, et nous avons clos la leçon par une valse.

– Ah ! s'est exclamée Ashleigh, une fois maman repartie. Nous voilà fin prêtes pour le bal de Forefield où, à l'instar d'Elizabeth Bennet, je rencontrerai l'homme qui conquerra mon cœur, mon Mr. Darcy, et toi, ton Mr. Bingley.

Je me suis hérissée intérieurement. Je comprenais

pourquoi Ashleigh s'identifiait à Elizabeth Bennet, cette demoiselle pleine d'esprit et de vivacité – même si, personnellement, elle me rappelait plutôt ses petites sœurs volages. En revanche, j'étais vexée qu'elle me compare à cette brave mais insipide Jane, laquelle tombe amoureuse du médiocre Mr. Bingley. Quoique bourré de bons sentiments et riche, Bingley ne possède pas la moitié de l'intelligence, ni le dixième du caractère (sans mentionner les revenus) du fier et beau Mr. Darcy. Quel culot d'accaparer Darcy alors que sans moi, le nom de ce personnage lui serait resté inconnu ! J'ai ravalé mon sentiment d'injustice et ouvert les négociations pour lui arracher la promesse de s'habiller comme un être humain normal le jour de la rentrée scolaire.

Chapitre 3

Robes de bal et souliers de princesse. –
Shopping au Hangar. – Un homme masqué.

L'étape suivante dans le plan d'Ashleigh consistait à dénicher des tenues convenables pour le bal. Par chance, nous avions une mine d'or à disposition. La boutique de ma mère, une véritable caverne d'Ali Baba ! Elle y vend de nombreux objets précieux tels que des cartes de vœux, des services à thé, des bougies en cire d'abeille et, surtout, des vêtements vintage.

Avant le départ de mon père, Les Trésors d'Helen n'occupait que notre vestibule. Maman gérait son magasin comme un hobby, offrant pour le plaisir ses tabourets anciens ou ses pots-pourris à des clients occasionnels. À présent, les tentacules du magasin s'étendent sur tout le rez-de-chaussée. Même dans la cuisine. Chaque fois que je cherche un oignon, je dois pousser des boîtes de savons parfumés.

Malgré l'extension, Les Trésors d'Helen ne rencontre pas un franc succès commercial. Successivement peintre, professeur d'arts plastiques et serveuse avant d'épouser papa, maman n'a jamais été une grande femme d'affaires. Sa fibre artistique surpasse de loin son instinct de businesswoman. Les bénéfices de la boutique additionnés à la pension alimentaire suffisent à peine à couvrir nos dépenses.

Ashleigh et moi avons passé les deux semaines précédant la rentrée, week-ends exceptés, à aider au magasin ; nous avons trié la marchandise, dressé des inventaires et remplacé les invendus de l'été par des articles d'automne. En échange, maman nous a permis de piocher au choix dans les vêtements.

Ashleigh a farfouillé dans les robes et a brandi deux machins roses et duveteux coordonnés, qu'une mariée avait dû infliger autrefois à ses demoiselles d'honneur.

– Ne sont-elles pas idéales ? s'est-elle écriée.

J'étais révoltée.

– T'as pété un macaron ? C'est déjà assez humiliant de s'incruster à un bal, si en plus, il faut y aller déguisée en meringue, non ! Je jette l'éponge.

– Je te concède qu'elles sont un tantinet trop roses pour être du meilleur goût ; cependant la coupe est décente et l'effet général, tout à fait convenable. As-tu une meilleure idée ?

– Pourquoi pas des chemisiers avec les longues jupes noires qu'on mettait à la chorale l'an dernier ?

– Dieu du ciel ! Tu n'y penses pas ! Ce n'est pas assez habillé, voyons.

Pendant que nous nous disputions, je me suis rappelée qu'il restait encore un coffre à vider. Il venait d'arriver suite à une liquidation de succession. En soulevant le couvercle, nous sommes tombées sur un filon : il était rempli à ras bord de vieilles fripes de toutes les tailles et de toutes les couleurs.

J'ai choisi une robe sans manche de satin gris argenté, assortie à mes yeux, qui mettait en valeur les reflets dorés de mes cheveux. Elle tombait en cascade, tel le drapé d'une statue classique. Pour une fois, j'avais l'air svelte plutôt que maigrichonne. Une rangée de diamants fantaisie illuminait mes épaules. En plus, sa couleur se mariait bien au noir de l'onyx porte-bonheur enfilé à mon pouce.

Ashleigh a quant à elle jeté son dévolu sur une robe de soie cramoisie, du genre froufrou, avec une taille bien marquée, un décolleté profond et une jupe pleine qui avantageaient sa silhouette. Le rouge foncé rehaussait l'éclat de ses boucles brunes et de ses yeux sombres. Pour compléter nos tenues, nous avons pris chacune un châle. Le mien était en satin, comme ma robe ; Ash a eu le coup de foudre pour une étole en cachemire bordé de vison noir qui perdait un peu ses poils.

Il restait un problème à régler : qu'allions-nous nous mettre aux pieds ? J'avais tellement grandi pendant l'été que même mes baskets commençaient à me serrer. Mes vieilles ballerines faisaient trop petite fille et elles étaient tellement abîmées que j'avais hâte de m'en débarrasser. Ashleigh, un vrai garçon manqué jusqu'à sa passion pour Austen, n'avait jamais porté de chaussures de fille. Nous avions déniché pas mal de paires d'occasion parmi les affaires de maman, mais aucune ne nous allait.

39

– Demandons à ta mère de nous emmener au centre commercial samedi, ai-je suggéré. La mienne ne peut pas fermer le magasin : c'est le jour où elle voit le plus de clients.

À ma grande surprise, Ashleigh s'y est opposée.

– Puisque nous revêtirons des robes longues, ainsi qu'il sied à des demoiselles de notre qualité, nul ne verra nos souliers.

– Sauf si on danse.

– Pas si nous dansons avec retenue et dignité.

Ashleigh ? Danser avec retenue et dignité ? Laissez-moi rire !

Sa réaction m'étonnait. Si le shopping n'est pas notre activité préférée, en cas de nécessité, nous ne crachons pas dessus. En la cuisinant un peu, j'ai fini par comprendre ce qui la gênait : elle avait des scrupules. Ses parents, complaisants et riches, ne refusent aucun plaisir à leur fille unique. Pour moi, la situation est plus compliquée. Ma mère ne me prive de rien, évidemment ; cependant, connaissant notre budget serré, je déteste lui réclamer de l'argent. Mon père, à l'inverse, ne manque pas de fonds, mais je suis trop fière pour le solliciter, d'autant que je ne veux pas faire passer maman pour une incapable. Quant aux sous que j'avais gagnés en servant des boules de glace chez Conehead cet été-là, je les avais mis de côté pour les cas d'urgence.

Ashleigh craignait donc de me mettre dans l'embarras. J'étais touchée. Je lui ai quand même demandé de bien réfléchir. En vain.

40

– Cette discussion ne nous mènera à rien, a-t-elle déclaré. Je propose de nous en référer à une autorité compétente. Appelons Sam.

J'ai composé le numéro de portable de cette dernière.

– Tu ne vas pas aimer ma réponse, m'a-t-elle prévenue. À mon avis, la solution, c'est Amy. Elle est pleine aux as et elle a bon goût. Il ne faut jamais hésiter à tirer profit de la culpabilité de ses parents ou beaux-parents. Si mon père quittait ma mère pour une femme plus jeune, j'aurais une paire de Manolos pour chaque orteil. Demande à Amy de t'emmener choisir des chaussures et dis-lui que l'idée vient d'Ashleigh. Elle sera flattée et peut-être qu'Ash remontera dans son estime. D'une pierre, deux coups. Je vais au centre commercial demain pour acheter des uniformes avec les filles de la gym. Si vous y êtes en même temps, on pourra peut-être rentrer ensemble.

Nous avons convenu d'un rendez-vous derrière la maison d'Ashleigh samedi matin. Je ne voulais pas que maman voie le 4 x 4 de mon père. Elle ignorait certains détails de notre plan, et notamment la participation d'Amy.

Belle-maman et Ashleigh se sont très bien comportées. Amy nous a appelées « mon chou » à tour de rôle et n'a signalé qu'à deux reprises à Ashleigh de faire attention aux sièges avec ses chaussures. Ash, de son côté, a pris sur elle d'encenser le bon goût d'Amy, comme je l'y avais invitée. Elle l'a complimentée sur sa coupe de cheveux,

41

son sac à main, ses chaussures et ses lunettes de soleil. J'ai dû lui balancer un grand coup de pied pour la faire taire.

La conversation était tendue au début, les sujets tombant à l'eau les uns après les autres au bout d'une phrase ou deux. Elle a rebondi un peu quand Ashleigh s'est lancée dans l'observation des oiseaux. Elle nous a montré des prétendues buses à queue rousse, deux faucons et un aigle. Je maintenais, moi, qu'il s'agissait de corbeaux, d'un couple de canards et d'une mouette.

– Une mouette ? Certes, non ! Que ferait une mouette si loin de la mer ?

– Elles remontent l'Hudson. Tu en as vu passer des millions.

– Nous avons laissé l'Hudson derrière nous il y a de cela plusieurs miles. Me crois-tu incapable de reconnaître l'emblème de notre grande nation ? Regarde, le revoilà !

Amy n'a pas souhaité arbitrer notre dispute.

– Je ne sais pas, les filles... Je ne l'ai pas bien vu. Je dois garder les yeux sur la route.

Nous étions toutes les trois soulagées en arrivant au centre. Nous sommes aussitôt parties à la recherche du Hangar aux Ados. (D'accord, j'avoue : ce n'est pas son vrai nom. Pourquoi ferais-je de la publicité gratuite à ce magasin alors que les trois derniers articles que j'ai pris là-bas sont ressortis en lambeaux de la machine à laver ? Et pourquoi tous les magasins de vêtements doivent-ils s'appeler le Hangar, la Halle, l'Entrepôt ou le Garage ? Qui voudrait acheter ses habits dans un garage ?)

Pendant nos après-midi lèche-vitrines, Ash, maman et moi, nous aimons traîner, bavarder et plaisanter ; nous repartons toujours avec au minimum un gadget absurde qu'il nous faut retourner par la suite, une fois nos esprits retrouvés. Amy, en revanche, déploie une efficacité glaçante mais admirable. L'Irrésistible sort des chaussures des rayons à la manière d'un magicien faisant jaillir des lapins de son chapeau. Sur ses conseils, j'ai opté pour une paire d'escarpins gris argenté assortis à ma robe. Ashleigh voulait une paire rouge, mais elle s'est contentée d'une noire.

Amy a saisi l'occasion pour m'offrir plusieurs pantalons neufs, en notant sur un ton désapprobateur que mes jambes avaient encore poussé de plusieurs centimètres, comme si j'y pouvais quelque chose. Elle semblait capable de repérer à l'avance sur les tringles les bonnes tailles et les coupes flatteuses, sans même jeter un coup d'œil aux étiquettes. Ses talons aiguilles cliquetaient sur le lino, ce qui produisait un bruit aussi agréable que des faux ongles pianotant sur un clavier d'ordinateur. En un temps record, elle avait renouvelé ma garde-robe pour l'hiver.

– Bon, les filles, j'ai rendez-vous avec ma manucure, a-t-elle lancé après le passage en caisse. Venez me chercher dans une heure. Rappelez-vous qu'on a promis à Samantha de la ramener. Appelez-moi sur mon portable en cas de besoin. Ton téléphone est allumé, mon chou ? Amuse-toi bien.

Elle m'a embrassée sur le front. J'ai réprimé un frisson

et j'ai agité la main en signe d'au revoir tandis que le Démon de l'Efficacité disparaissait derrière la fontaine – *clic clac clic clac...*

Ashleigh et moi avons erré gaiement de Hangar en Entrepôt. Dans le Hangar aux Bonbons, nous avons joué à Sherlock Pif, un jeu qu'Ashleigh a inventé il y a des années. Il s'agit de reconnaître sept parfums de bonbons à la suite les yeux bandés.

Après avoir été éjectées, nous avons visité la Halle aux Jeux, où Ash a harcelé les vendeurs avec ses questions sur les règles officielles du jeu à la mouche, du vingt-et-un, de l'hombre, du jeu du pharaon, du piquet, du whist ou encore de la pêche – le lecteur attentif de Jane Austen aura reconnu les jeux de cartes préférés des personnages de ses romans.

Manque de bol, les vendeurs n'étaient pas des fans de Miss Austen. Ils nous ont mis à la porte, eux aussi. Nous nous sommes alors réfugiées dans l'Entrepôt aux Livres où, pour une fois, on nous a permis de feuilleter dans les rayons à notre guise. Ashleigh a acheté son propre exemplaire d'*Orgueil et préjugés*, ainsi qu'*Amour et amitié*, le tout premier roman de notre écrivain de prédilection – rédigé à notre âge, rendez-vous compte !

Enfin, Ash s'est jetée sur les jeux vidéo. Trop sensible pour ce genre de distraction, j'ai préféré aller vérifier si Samantha était arrivée à notre point de rendez-vous, le Hangar des Sports. Là-bas, j'ai vu un groupe de filles aux dos souples s'éloigner à grandes foulées : Sam venait de dire au revoir à ses amies gymnastes.

– Oh, salut, Julie ! Où sont Ashleigh et Amy ?

– Ash est dans la salle d'arcade en train de shooter des vaisseaux extraterrestres, des soldats ennemis ou des poissons dans une barrique. Elle nous rejoint dès qu'elle n'a plus de pièces. L'I.C. se fait repeindre les griffes en rouge sang. Je crois qu'elle voulait se débarrasser d'Ashleigh.

– Oh... Il y a eu de la friction ?

– Non, pas tant que ça. Elles ont réussi à rester polies.

– Je vois la scène d'ici.

– Heureusement qu'Ash est venue. Sinon je serais coincée avec l'Irrésistible à l'heure qu'il est, en train de subir la version rien-que-pour-nous-les-filles de son fameux « temps précieux consacré au dialogue au sein de notre famille ».

Sam a affiché une moue compatissante.

– Ouais, elle aime bien faire ressortir son côté pseudo-maternel. Tu sais pourquoi elle se comporte comme ça ?

– Non, pas vraiment. Elle n'est pas bête : elle doit bien se douter que je ne la porte pas dans mon cœur ? D'ailleurs, je ne crois pas qu'elle m'apprécie non plus. Peut-être qu'elle veut juste plaire à mon père ? Ou alors elle me torture par pur sadisme ?

– Va savoir. Moi, je pense surtout qu'elle a peur de ne pas avoir d'enfants à elle. Elle se dit que tu seras peut-être la seule fille qu'elle aura jamais.

– Beurk.

Je me demandais ce qui me dégoûtait le plus : jouer la fille de substitution ou avoir un demi-frère, ou une demi-sœur, engendré par Amy ?

Sam a changé de sujet :

– Hé, en parlant de trucs beurk, tu as une minute ? Tu vas te marrer.

Je lui ai emboîté le pas. Nous avons traversé des rayons pleins de polaires et de lycras.

– Ils ont une sélection de tenues de gym là-dedans qui doit remonter au moins aux années vingt. Tiens : mate ça ! (Elle m'a tendu une petite robe plissée avec des manches bouffantes ; une culotte froncée était épinglée au fond de la jupe.) Tu connais un entraîneur assez méchant pour imposer cette chose à son équipe ?

Alors que nous nous mettions au défi d'enfiler les pires ensembles, une vendeuse a déboulé :

– Puis-je vous aider ?

En notant la lueur assassine dans son regard, nous avons décidé de fuir vers les eaux plus calmes du département des sports nautiques.

Presque parvenues à hauteur des kayaks, nous avons dû marquer une halte. Un homme nous bloquait la route. Il était vêtu d'une veste blanche ajustée au niveau du torse et d'un pantalon assorti, dont la coupe impeccable dévoilait des cuisses musclées. Une sorte de passoire en fil de fer dissimulait son visage. Une épée à la main, il menaçait une grosse grenouille gonflable.

Samantha a toussé. Le guerrier s'est aussitôt mis au garde-à-vous. D'un geste gracieux, il a effleuré le sol de la pointe de son épée avant de toucher son front avec la base de la lame. Enfin, il a retiré son masque, s'est écarté et s'est incliné en silence.

Quand il s'est redressé, je suis restée clouée sur place, muette de stupeur, les yeux rivés dans les pétillantes prunelles turquoise de mon Mystérieux Inconnu.

La voix de Sam a brisé l'enchantement.

– Oh, salut.

Mon Inconnu lui a souri, révélant des dents d'un blanc étincelant. Puis il a, au sens propre, tiré sa révérence.

Faible et tremblotante, j'ai murmuré :

– Samantha, qui était cet homme masqué ?

– Un type du dojo de Zach. Je ne me souviens plus de son nom. Je crois qu'ils font du kendo ensemble.

– Du kendo ?

– Un art martial japonais. J'hésite à m'inscrire mais Zach me conseille plutôt l'aïkido.

Ma timidité naturelle m'a dissuadée de poursuivre l'interrogatoire. Elle a épilogué sur les avantages et les défauts des divers arts martiaux, mais je serais bien incapable de répéter ses explications. J'ai passé le reste de l'après-midi comme dans un rêve, avec ces yeux turquoise présents à l'esprit à chaque instant. Ashleigh a pu appeler les mouettes des aigles tout son soûl sur le trajet de retour pendant que Sam meublait la conversation, moi, je voyageais à des années-lumière.

Chapitre 4

Où l'auteur fait sa rentrée des classes. –
De l'importance des activités extrascolaires. –
Un sonnet.

Malheureusement, le rêve s'est dissipé trop vite. À mon réveil, la dure et froide réalité m'est tombée dessus : l'été était fini. Je parle de « froide réalité » au sens figuré, bien sûr. Les températures restaient élevées dehors, et plus encore dans ma chambre sous les combles. Maman m'a promis mille fois de refaire l'isolation si les affaires reprennent.

Lundi matin, elle m'a servi mon traditionnel petit déjeuner de rentrée : gaufres complètes au lait de beurre, avec sirop d'érable et confiture de griottes maison (une des principales réussites d'Ashleigh pendant sa période confiserie). Et, cerise sur le pancake, maman avait dressé le couvert en bas, dans le vestibule, sur une table en bois de chêne pourvue de pieds en griffes qui est à vendre depuis des années. Si jamais quelqu'un finit par l'acheter, elle me manquera terriblement.

Au moment du départ, je me suis vite brossé les cheveux et j'ai enfilé ma bague fétiche à mon pouce avant

de descendre l'escalier. Je portais quelques-uns des vêtements offerts par ma belle-mère et je craignais que
maman ne se pose des questions. Malgré ma précipita-
tion, elle n'a pas manqué de remarquer ma tenue neuve.
Elle m'a regardée de bas en haut et m'a lancé d'une voix
admirative :

– Tu es magnifique, chérie.

Au lycée, nous avons subi une grosse déception, Ash
et moi : nous n'étions pas dans la même classe. Elle se
farcissait Frau Riechstoff-Murphy comme prof princi-
pale ; et moi, le tristement célèbre M. Klamp.

M. Klamp dictait sa loi. Pas de retard ; interdiction de
parler au-dessus de quarante décibels ; pas de lacets
défaits ; pas de sous-vêtements visibles ; interdiction de
manger, de mâcher du chewing-gum, du tabac, du bétel,
des feuilles de coca, des mollets d'élèves (à moins de
s'appeler M. Klamp), ou d'enseignants (même exception) ; pas de démonstrations de mauvaise humeur super-
flues (même exception), ni de témoignages d'affection
superflus (sans exception) ; pas d'animaux domestiques
pesant au-dessus de trente grammes ou au-dessous d'une
tonne ; et interdiction de chanter, sauf en langue bul-
gare. Néanmoins, M. Klamp ne me faisait pas peur. Et il
valait mieux, puisque je l'avais aussi en maths.

Cette année, j'avais dans ma classe plusieurs spéci-
mens de la fine fleur de notre promo, qui incluaient trois
des cinq Seth, ainsi qu'Alex la Grande, Alex la Folle,
Michelle Jeffries, Cordelia Nixon et une des jumelles
Gerard, soit Yolanda soit Yvette.

50

Y et Y sont de vraies jumelles : même silhouette pulpeuse, même démarche légère, mêmes doigts fuselés, même peau sombre et unie, et mêmes narines tombantes. Comme beaucoup de vrais jumeaux, elles aiment tromper les gens en jouant avec leurs vêtements et leurs coiffures. Une de leurs astuces favorites consiste à échanger progressivement les perles de couleur au bout de leurs tresses. Par exemple, en début de semaine, Yolanda ne porte que des perles jaunes, et Yvette, des vertes. À la fin de la semaine, elles en auront troqué la moitié. C'est ensuite que la manœuvre devient retorse : une des jumelles va peu à peu récupérer toutes les perles jaunes tandis que sa sœur complètera sa collection de vertes. Mais est-ce Yolanda qui a emprunté le look de sa sœur, ou Yvette qui a repris sa couleur de prédilection ?

Heureusement (ou malheureusement si on adopte le point de vue des demoiselles Gerard), il existe un moyen très simple pour les initiés de les reconnaître. Il suffit de s'approcher d'une jumelle et d'attendre. Si elle engage tout de suite la conversation, vous avez sans doute affaire à Yolanda. Si elle enchaîne sans vous laisser en placer une, la probabilité se mue en certitude. Yolanda m'a confié un jour qu'à l'école primaire, on la surnommait « Yolangue bien pendue ».

– Julie Lefkowitz ! Pas croyable ! Tu es devenue immense, ma parole ! Tu prends physique cette année ? Montre-moi ton emploi du temps. Regarde, on a sport ensemble. Et anglais aussi... avec Madame Nettleton, argh ! Pas juste ! J'étais sûre qu'on aurait Madame Muchnick, pourtant. Tout le monde dit qu'elle est géniale. Elle a dû tomber enceinte. Comme si un bébé était plus intéressant que *nous*, je te jure ! Eh, tu as fini la lecture imposée ? J'en peux plus de *Sa Majesté des Mouches*. On l'a déjà étudié en quatrième au Sacré-Cœur et l'année suivante, ils nous l'ont recollé au programme des ateliers d'été. Si je dois le lire encore une fois, je me jette d'une falaise. Et on prétend que ce bouquin est réaliste ? N'importe quoi ! Si tu veux mon avis, les garçons sont bêtes, mais pas à ce point-là ! En parlant de garçon, voilà Seth Young ! Salut, Seth ! Où étais-tu cet été ? Montre ton emploi du temps. Tu as entendu la nouvelle à propos de Muchnick ?

Diagnostic : Yolanda.

Les premiers jours, l'école avait un petit air de fête assombri par un soupçon de gêne. Tout le monde était revenu de vacances plus grand, plus fort et plus empoté. Certains apparaissaient amincis, d'autres avaient pris des rondeurs ; les uns s'étaient laissé pousser les cheveux jusqu'au milieu du dos tandis que ceux qui sortaient de chez le coiffeur tentaient de dissimuler leurs épis. Les fils d'avocats, de retour de folles aventures dans des contrées exotiques, exhibaient leur teint bronzé, de même que les rejetons de paysans hippies qui avaient consacré leurs vacances à travailler sous le soleil. Les barrières qui séparaient les clans tremblaient comme des mirages – on se serait presque attendu à voir un ancien premier de la classe traverser la foule des bandes hype sans dommage. Puis les cloisons se sont reformées et le moment de grâce a cessé.

– Julie, il est temps de réfléchir sérieusement à l'université, m'a dit mon père un mardi soir. Tes notes sont correctes mais ça ne suffit pas. Les chargés d'admission vont regarder tes options et tes activités extrascolaires à la loupe. Je sais que tu aimes écrire. Tu as pensé à intégrer l'équipe du journal du lycée ? Ou du magazine littéraire ?

J'ai étouffé un gémissement. Les éditeurs du *Clairon de Byzance* publient des nouvelles dans lesquelles les compétitions sportives ou les collectes alimentaires servent de toile de fond à des intrigues captivantes. Le moindre texte est soumis à l'examen rigoureux de l'administration. Le résultat est d'un ennui mortel. Le magazine littéraire, *Voile vers Byzance*, m'intéressait un peu plus. L'année d'avant, quand Mme Muchnick chapeautait la rédaction, j'avais parcouru certains numéros avec plaisir. Mais Mumuche étant partie en congé maternité, Mme Nettleton avait repris le flambeau. Trois heures avec elle par semaine me suffisaient.

– Je ne sais pas, papa... Je suis déjà bien occupée avec les cours et mon boulot à Conehead. (J'ai omis de préciser qu'en raison d'une forte baisse de la demande en friandises glacées, la boutique me dégageait de mes obligations pour l'hiver.) Et puis les journaux et les magazines, ce n'est pas mon truc...

– Tu devrais laisser tomber ce job. Ce n'est pas Conehead qui fera la différence dans ton dossier. Pourquoi pas le conseil des délégués ou le club de science ? À mon avis, ce serait encore plus judicieux que le journal. Les chargés d'admission apprécient les étudiants complets, avec un profil pluridisciplinaire, étoffé.

Un profil étoffé ! J'ai jeté un coup d'œil désolé à mes genoux osseux. Je me trouvais face à un pénible dilemme : révéler à papa qu'une fille ordinaire et sans relief telle que moi n'avait pas la moindre chance de remporter une élection au lycée, celles-ci se résumant plus ou moins à des concours de popularité, ou lui avouer ma répugnance pour les matières scientifiques, son domaine de prédilection ? Pour la millième fois, j'ai regretté qu'il n'ait pas le nez plus fin. J'avais le sentiment d'être une extraterrestre pour lui. En encaissant deux dollars imaginaires sur le compte de ma Fondation pour la Paix des Familles, je lui ai répondu que je me pencherais sur la question.

Et je l'ai fait. J'ai abouti aux conclusions suivantes : s'il y avait une justice en ce bas monde, les heures passées avec Ashleigh devraient compter comme activité extrascolaire. Mélangez un club de science, un club d'histoire et un syndicat de confiseurs, secouez et servez frappé : vous obtenez Ashleigh.

Les premières rafales automnales sont arrivées sans crier gare la semaine suivante. Tandis que les jours raccourcissaient et que les heures s'étiraient, nous nous sommes assagis et installés pour de bon dans l'année scolaire.

Dans la classe de Mme Marlin, Charlemagne avançait à travers l'Europe (ou reculait, en fait), suivi (ah ? précédé ?) par ses ancêtres (descendants, écuyers, ennemis...

je ne sais pas trop), Clovis, Childéric et Pépin le Bref. (L'histoire n'a jamais été ma tasse de thé. En littérature, on peut inventer ; en maths, déduire ; en histoire, il faut ingurgiter les dates de certains événements qui auraient très bien pu ne pas avoir lieu ou se produire à d'autres moments – à quoi ça rime, hein ?)

En anglais, mon seul cours en commun avec Ashleigh, les enfants dépravés (je fais référence aux personnages de *Sa Majesté des Mouches*, pas à mes petits camarades) ont cédé la place aux amants malheureux de Shakespeare.

– Comment sait-on que Roméo et Juliette sont amoureux ? nous a demandé Mme Nettleton par une fin de matinée pluvieuse. Oui, Julie ?

– Shakespeare le précise dans le prologue. Il écrit : « a pris naissance, sous des étoiles contraires, un couple d'amoureux » et il évoque « les terribles péripéties de leur fatal amour ».

On pourrait penser que tout professeur, dans cette situation, se réjouirait qu'un élève ait lu le livre et fait ses devoirs. Pas Mme Nettleton. Quand elle pose une question, elle ne veut pas n'importe quelle réponse : elle veut *la* réponse, *sa* réponse.

– Oui, mais quels sont les indices donnés par Shakespeare dans le dialogue lui-même ? Quelqu'un ? Pas toi, Seth, je sais que tu sais. Peter ?

– À un moment, Juliette dit : « Ô Roméo ! Roméo ! pourquoi es-tu Roméo ? » a tenté Peter le Bref.

Mme Nettleton lui a jeté un regard en biais. Ce vers n'apparaissait que dans le passage à lire pour la semaine suivante et Peter n'étant pas du genre à prendre de l'avance, elle le soupçonnait clairement d'improviser.

– Avant ça. Concentrez-vous sur la scène du bal, chez les Capulet, quand Roméo et Juliette se rencontrent. Rien ne vous a frappé dans leurs premiers échanges ?

– Ben... ils flirtent, quoi, a proposé Yolanda. Ils s'embrassent sur les mains et tout...

– Oui, mais qu'avez-vous remarqué à propos des vers ? Ça ne vous a pas rappelé des choses ? Notre chapitre sur la poésie, l'an dernier ? Personne ? Très bien, Seth, nous t'écoutons.

– Ils parlent en phrases versifiées et rimées, a expliqué Seth Young. La première partie de leur discussion prend la forme d'un sonnet.

– Merci, Seth.

Mme Nettleton a copié le mot SONNET au tableau avant de développer un exposé aussi instructif que soporifique. Elle a détaillé la distribution des rimes, a décortiqué le pentamètre iambique puis s'est appesantie sur le distique final. La sonnerie a retenti avant que nous ayons eu le temps de revenir sur les sentiments de Roméo pour Juliette, ou le contraire.

– On s'en fiche que ce soit un sonnet ! a décrété Yolanda sur le chemin de la cafétéria. Toute cette histoire de coup de foudre, c'est n'importe quoi. D'accord, c'est mieux que *Sa Majesté des Mouches*, mais à peine. Déjà, avant de rencontrer Juliette, Roméo est amoureux de sa cousine Rosaline – carrément dégueu. Après il voit Juliette et vas-y que je t'embrasse la main... « Mais si, je te jure, cette fois je suis

vraiment amoureux – la preuve : je te le dis en sonnet. »
Et Juliette n'a même pas quatorze ans ! Il va se suicider à
cause d'une quatrième ? Ouais, c'est ça !

Ashleigh n'était pas d'accord.

– Si certains couples d'amoureux ne comprennent pas
la véritable nature de leur attachement au moment de
leur rencontre, ce n'est pas le cas de tous, a-t-elle soutenu.

Elle a pris l'exemple d'Elizabeth Bennet et de son
Mr. Darcy pour illustrer le premier cas de figure, et celui
de Jane Bennet et de Mr. Bingley pour le second. Comme
Yolanda n'avait pas lu *Orgueil et préjugés*, elle a sauté sur
l'opportunité de lui vanter les mérites du roman.

Pendant ce temps, je mastiquais ma salade composée
en réfléchissant aux mystères de l'amour.

Rien n'empêchait deux personnes qui se connais-
saient depuis des années et qui s'étaient promis un
amour éternel de s'apercevoir au bout du compte que
leurs cœurs et leurs intérêts divergeaient. Je crois que
c'est ce qui s'était produit avec mes parents. En revanche,
les docteurs Liu prouvaient qu'un amour sincère pouvait
s'épanouir dès le premier instant, sans jamais se flétrir.
Les parents de Samantha se sont rencontrés dans une
chorale. Haichang est un baryton et Lily, une mezzo-
soprano. Et ils continuent de roucouler en chœur, joue
contre joue, dès qu'ils se croient seuls.

Et moi, quel serait mon destin amoureux ?

Si Ashleigh avait raison, je ne tarderais pas à le savoir.
Une petite semaine nous séparait du bal de Forefield.

Nous avions si bien répété que nous étions désormais capables d'exécuter, les yeux fermés et le jarret léger, trois parfums différents de quadrille, un menuet, la « Sir Roger de Coverly », ainsi que le fox-trot, la valse et quelques pas de base du swing. Nous nous étions même entraînées à nous trémousser en freestyle. Bref, nous étions parées.

Il nous restait un obstacle à surmonter : comment aller à Forefield. Nous hésitions à demander l'aide de nos parents : comment réagiraient-ils s'ils se rendaient compte que nous n'avions pas d'invitation ? Finalement, nous avons décidé de prétexter une sortie au cinéma avec Sam.

– Vêtues de robes de bal ? a objecté Ashleigh.

– Tu m'as déjà traînée au ciné avec des trucs bien plus ridicules sur le dos, ai-je rétorqué.

Cela nous laissait deux options : soit marcher sur cinq kilomètres, soit gravir la colline à vélo, au risque de coincer le bas de nos robes dans les chaînes et d'arriver au sommet en fondue. Le retour s'annonçait encore plus problématique.

Comme d'habitude, Sam a volé à notre secours. Plus précisément, c'est son frère qui nous a tirées d'affaire cette fois. Quand je suis allée chez les Liu piocher une paire de sacs à main dans l'impressionnante collection de Sam, elle nous a proposé les services de Zach.

– Il passe le week-end à la maison. Je lui ai dit que si je ne vous trouvais pas de chauffeur, vous vous emmêleriez les pédales sur vos vélos et que vous finiriez au fond d'un fossé avec la nuque brisée. Qu'ensuite ton père mourrait de chagrin et que papa serait obligé de se chercher un nouveau partenaire. Zach a répondu que vous étiez débiles, mais qu'il acceptait pour l'honneur de la famille. Tous les prétextes sont bons pour frimer avec sa voiture.

– Euh... merci. Tu es sûre que tu ne veux pas nous accompagner ?

– Tu me vois en train de courir après des garçons du pensionnat ? s'est esclaffée Samantha. Non, merci, j'ai assez de ceux que je connais déjà. Amuse-toi bien et arrange-toi pour ne pas mourir de honte à cause d'Ashleigh.

Chapitre 5

Une promenade dans le noir. – Une rencontre
fort désagréable avec un fâcheux. – Suivie
d'une rencontre fort agréable avec des gentlemen.
– Un quadrille. – Une valse. – Deuxième sonnet.

Zach est venu nous chercher chez Ashleigh.

– Prêtes pour la boum costumée ?

– Il ne s'agit point d'une boum costumée, mais d'un bal, a répliqué Ash en s'asseyant à l'avant. Nous ne sommes plus des petites filles.

Zach a longé le fleuve vers la colline.

– Hmm, a-t-il marmonné en l'examinant d'un œil expert. Tu as raison, tu fais moins gamine dans cette robe. Les garçons de Roquefort-field devraient se méfier.

Ashleigh l'a tapé sur l'épaule. Il a riposté par une clé de bras.

– Eh, vous deux ! La route ! ai-je crié.

Mon trac s'est aggravé au fil des minutes. Nous avons suivi les méandres du fleuve puis emprunté le chemin sinueux qui s'élevait jusqu'à la grille de Forefield. Au cours de ma longue amitié avec Ashleigh, je m'étais habituée à un certain degré d'attention dans les lieux publics. Quand votre meilleure amie se promène en ville vêtue d'une armure en ustensiles de cuisine, vous vous attendez un peu à attirer les regards. Se faire renvoyer du Hangar aux Bonbons pour avoir plongé le nez dans les boîtes, c'est de la rigolade. Mais quand il faut avancer le front haut dans un nid de jeunes bourgeois, habillée d'une vieille robe qui pue la naphtaline, là, on avoisine facilement les cent pour cent de risques de se couvrir de honte.

– Dépose-nous ici, Zach, ai-je dit. On va continuer à pied. On aura plus de chances de rentrer en se faufilant au milieu d'un groupe.

Zach est descendu pour m'ouvrir la portière arrière, qui est bloquée de l'intérieur.

– Ok, les filles... euh, mesdames. Appelez-moi quand vous en aurez marre. Et si un binoclard devient trop familier, dites-le-moi : je viendrai lui botter le derrière.

Il s'est livré à une démonstration convaincante en plaçant un coup de pied retourné en plein sur mon postérieur, heureusement sans laisser de trace sur ma robe argentée, puis il est reparti dans l'obscurité.

Les jupes relevées, les talons enfoncés dans l'herbe sur le bas-côté de l'allée, Ashleigh et moi nous sommes introduites dans la foule qui piétinait en direction du campus. L'air était vif ; j'ai resserré mon châle autour de mes épaules. Des lions sculptés nous observaient de part et d'autre de la grille, les queues enroulées autour de leurs flancs tels des gros chats, et les museaux dressés dans une expression de dédain hiératique. Deux ou trois voitures nous ont dépassées en vrombissant discrètement. Les courants d'air soulevaient mes cheveux et l'étole d'Ashleigh.

Arrivées au sommet de la butte, nous avons découvert

les bâtiments de l'école, tous plus imposants les uns que les autres. Après une courte marche à travers les pelouses, quelques notes de musique ont commencé à parvenir jusqu'à nous au compte-gouttes : nous approchions du vieux manoir Forefield, le cœur du pensionnat. J'ai aussitôt reconnu le palais de conte de fées visible depuis mes combles. De près, il semblait à la fois plus réel et plus magique. Des flots de lumière se déversaient de hautes fenêtres et des rires se mêlaient à la musique. Il régnait une ambiance gaie et distinguée, à l'opposé du chaos assourdissant qui emplissait le gymnase de Byz High dans ce genre de circonstances.

Alors qu'Ashleigh s'apprêtait à monter les marches de marbre au pas de charge, je l'ai retenue par la manche. Nous avons patienté et profité de l'irruption d'un nouveau groupe de convives pour nous glisser à l'intérieur sur leurs talons, en espérant passer inaperçues.

Raté. À l'entrée, installé derrière une table, un homme émacié, aux joues rouges et flasques comme des fanons de dindon, nous a arrêtées.

– Excusez-moi ! Excusez-moi, mesdemoiselles ! Puis-je voir vos invitations ? a-t-il braillé.

Ashleigh a ouvert le petit sac à main noir orné de perles que Sam lui avait prêté, a étudié le contenu, feint l'étonnement puis tapoté les côtés de sa robe (dépourvue de poches, faut-il le préciser).

– Je ne comprends pas, j'ai dû les oublier dans mon manteau, a-t-elle annoncé avec l'air le plus innocent du monde.

Comme d'habitude, j'ai lâchement tenté de me cacher derrière elle – en vain puisqu'elle mesure quinze centimètres de moins que moi. Face-de-Dindon a froncé les sourcils.

– Où sont vos cavaliers ?

– Oh, ils ne doivent pas être loin. Ils nous ont donné rendez-vous ici.

Notre ennemi se renfrognait de seconde en seconde.

– Cet événement est exclusivement réservé à la communauté de Forefield et à ses invités, a-t-il poursuivi d'un ton glacial. J'ai bien peur de ne pas pouvoir vous laisser entrer sans carton ni cavalier.

À mon sens, la solution la plus sage (à l'exception de celle qui consistait à rentrer chez nous, ce à quoi l'Enthousiaste n'aurait jamais consenti), était de faire mine de s'avouer vaincues et de tenter d'entrer plus loin par une fenêtre, en croisant les doigts pour que le chien de garde reste bien concentré sur la porte.

– Est-ce qu'il ne serait pas possible de…, a-t-elle insisté.

– Je crains que sur ce point, les règles ne soient parfaitement…, a rétorqué Face-de-Dindon en haussant le ton, couvrant la fin de sa phrase.

J'ai préféré détourner mon attention de leur conversation. Un picotement familier se faisait sentir au niveau de mes pommettes. Je me demandais si j'étais devenue aussi écarlate que Face-de-Dindon quand un miracle s'est produit. Une voix aussi douce qu'une alarme incendie par un jour d'évaluation a prononcé ces mots merveilleux :

– Tout va bien, monsieur Waters. Elles sont avec moi.

En me retournant, je suis tombée sur mon Mystérieux Inconnu. Face-de-Dindon paraissait aussi abasourdi que moi.

– Vraiment, Parr ? s'est-il exclamé. Les deux ? Deux filles rien que pour vous ? Mon dieu, mon dieu... mais vous êtes un vrai don Juan, ma parole !

Mon héros a-t-il légèrement rosi ou était-ce un effet de la lumière ?

– Non, une seulement. L'autre est la cavalière de Ned. Hein, Ned ? (Il a attrapé un grand costaud par l'épaule.) Tu as les cartons ?

Ned a fouillé dans le gousset de son gilet (oui, absolument, le gousset de son gilet !) ; il en a sorti une boule de papier, un paquet de chewing-gums à la cannelle, un moignon de crayon, un diapason et, enfin, deux cartons lisses et fins, imprimés sur du beau papier, pas des feuilles de couleur au format A5 comme à Byz High. Mon prince charmant en a présenté une seconde paire.

Face-de-Dindon a descendu ses lunettes sur son nez pour les examiner. N'ayant aucune autre objection à formuler, il nous a fait signe d'entrer dans la salle en vitesse avant de menacer de nouveaux arrivants.

Ashleigh a attendu de se trouver à une distance prudente du cerbère pour se pendre au bras de mon ex-Mystérieux Inconnu.

– Notre héros ! s'est-elle écriée. Vous nous avez sauvé la vie ! Sans votre assistance, nous aurions été contraintes de passer par la fenêtre, au risque de nous briser la nuque et de froisser nos toilettes. Nous serons éternellement vos obligées.

– Oh, pas de problème, a-t-il répondu. C'est toujours un grand bonheur de contrecarrer le vieux Waters. Pas vrai, Ned ?

– Ah, contrecarrer Monsieur 100 000 Wattheures ! Joie suprême de nos jeunes années ! a acquiescé Ned.

– Je crains que cette joie ne soit rien en comparaison de la peine que vous vous êtes donnée pour nous, a protesté Ash. Comment vous remercier ?

– Franchement, il n'y a pas de quoi. Mais si vous y tenez, quelques danses devraient faire l'affaire, a suggéré Parr.

– Avec joie ! s'est exclamée Ashleigh.

Je me suis contentée de hocher la tête.

– Peut-on savoir les noms de nos cavalières ? s'est enquis notre bienfaiteur.

Il me regardait. J'ai senti mes joues virer au rouge pivoine. Avec tout cet afflux de sang à mes pommettes, je redoutais qu'il n'en reste plus assez pour transporter de l'oxygène jusqu'à mes organes vitaux.

– Je m'appelle Julie... Julia Lefkowitz, ai-je répondu, et voici Ashleigh Rossi.

Sous mes yeux horrifiés, Ashleigh a fait la révérence.

– Et le vôtre, monsieur ? a-t-elle enchaîné.

– Charles Grandison Parr, à votre service, madame, a-t-il déclamé en ôtant un chapeau imaginaire de sa tête, avant d'exécuter une courbette digne des danseurs de

Dodworth. Permettez-moi de vous présenter mon ami, Edgar Downing, alias Ned la Linotte.

– Ne l'écoutez pas. Personne ne m'appelle comme ça, a assuré Ned.

Il a envoyé un coup de pied à son copain, qui a esquivé l'attaque avec aisance.

– Ce brave Ned est un rêveur. Intelligent, sans doute, mais étourdi, a renchéri Parr.

– Auriez-vous la bonté de nous éclairer sur l'hostilité de Monsieur Face-de-Dindon à notre égard ? a continué Ashleigh sur le même ton. Quoi, nous soupçonnerait-il de vouloir dérober les peintures ?

Et pourquoi pas ? Nous avions pénétré dans une sorte de salle d'armes médiévale. À chaque extrémité se dressaient des armures complètes (sans chevaliers dedans) de part et d'autre des portes. Les quatre murs étaient couverts de portraits d'hommes aux tenues sombres et aux mines revêches depuis environ la hauteur de mes oreilles jusqu'aux poutres.

– Oh, non. Il est comme ça, toujours survolté, d'où le surnom, a répondu Parr. Cela dit, il y a un précédent : les terminales d'Emerson House sont rentrés ici une nuit et ont accroché tous les portraits la tête en bas. Mais je ne peux pas imaginer qu'il vous accuse d'un tel crime.

– Oh, que si, vieux ! Il serait capable de leur reprocher n'importe quoi, tout ce qui lui passe par la tête. N'oublions pas que ce sont des filles. Coincé comme il est, avec son esprit mal tourné, je suis sûr qu'il pense que danser avec une fille est un acte diabolique, a dit Ned.

– À ce propos, comment se fait-il que personne ne danse ? s'est informée Ashleigh.

La pièce fourmillait de lycéens qui tournaient en rond et de groupes en pleine conversation comme le nôtre. Pourtant un petit orchestre de chambre, installé au-dessus de nos têtes sur un balcon réservé, répandait ses notes de musique sur l'assistance. Les jeunes interprètes étaient d'ailleurs plutôt bons, à condition d'aimer Mozart et de faire abstraction de leur acné.

– On attend le proviseur et sa femme pour ouvrir le bal. C'est une tradition à Forefield, a expliqué Parr. Mais... comment vous êtes-vous retrouvées ici sans invitation ? Vous les avez perdues ? Vos cavaliers vous ont fait faux bond ?

Voyant que nous hésitions, Ned a lancé :

– Ne me dites pas que vous vous êtes tapé l'incruste ? Quelqu'un vous a donné un gage, c'est ça ? Vous ne pouvez pas être ici de votre plein gré.

Alors que nous échangions des coups d'œil gênés, sans trop savoir comment nous justifier, les cuivres ont entonné un petit air rythmé. Sauvées par le gong ! Le silence s'est installé dans la Grand-salle. Un jeune trompettiste en costard a annoncé d'une voix aussi claironnante que son instrument :

– *Ladies and gentlemen*, prenez place s'il vous plaît pour le quadrille des Pères Fondateurs !

Un monsieur aux cheveux argentés a émergé de la foule en ébullition et a traversé la pièce avec une dame corpulente, mais jolie, au bras. Des couples, les plus âgés, se sont disposés géométriquement sur toute la longueur de la salle. La musique est repartie et le couple meneur a inauguré l'élégant rituel de pas marchés, pas de bourrée et balancés sous les regards des autres danseurs.

Ashleigh s'est écriée :

– Eh bien, monsieur ? Ne désiriez-vous pas danser ?

– Oui, mais rien ne presse. Ils jouent toujours une ou deux danses très anciennes un peu bizarres avant la série de valses. Ensuite, il faut encore attendre une bonne heure avant les musiques « normales ». Armez-vous de patience.

– Pourquoi languir ? Ne connaissez-vous pas le quadrille ?

– Nous, si ! On nous l'enseigne en cours de sport en sixième. Mais je suppose que ce n'est pas votre cas. À moins que... vous ne suivez pas les cours de Mademoiselle Wharton, si ? a demandé Parr avec une expression soupçonneuse.

– Non, mais nous maîtrisons nos quadrilles ! Lequel est-ce ? Une coquette ? Un polo ? Une corbeille ? Si c'est une corbeille, on fera ce qu'on pourra – je veux dire : nous tâcherons d'improviser avec grâce. Allez, vite, les autres ont démarré !

Ashleigh a abandonné son sac à main et son étole derrière l'armure la plus proche et Parr s'est laissé entraîner à l'autre bout de la salle.

– Prête ? m'a dit Ned. Je suis content que vous soyez là. Pour une fois, j'aurai une bonne cavalière.

J'ai rangé mes affaires près de celles d'Ashleigh, accepté le bras qu'il m'offrait et nous avons rejoint nos amis.

69

Dans la catégorie des danses très éloignées de celles du vingt-et-unième siècle, le quadrille des Pères Fondateurs se pose là. Aujourd'hui, on bouge les bras, les épaules, le torse, les hanches et les membres inférieurs chers à Ashleigh sur la musique. Le but du jeu est de se tortiller en harmonie avec ses compagnons, de manière originale afin de se distinguer, tout en déployant ses charmes et en évitant, autant que possible, d'avoir l'air débile.

Bref : tout le contraire du quadrille. Avoir l'air débile semble être de mise. Une autre différence majeure tient au nombre de kilomètres parcourus par les danseurs. On marche en avant, en arrière, on pivote, on glisse en diagonale, on reprend sa place initiale... Souvent, Ned me tenait la main, me guidait, me faisait tourner, s'inclinait devant moi et hochait la tête quand j'exécutais une courbette. Le reste du temps, je me trouvais face à un autre cavalier, ou bras dessus, bras dessous avec une dame. À tant s'agiter, il était compliqué de suivre une conversation.

Rêveuse, je me suis mise à méditer sur la voix de Charles Grandison Parr, qui bavardait de façon décousue avec Ashleigh. Lors de nos six rencontres précédentes, je n'avais pas eu l'occasion de l'entendre. Elle ne ressemblait pas du tout à ce que j'avais imaginé : ce n'était pas une basse profonde, mais un ténor puissant et clair, plein de voyelles caressantes qui envoyaient des vibrations jusqu'au bout de mes doigts de pied.

– Tu n'as pas répondu à Grandison, au fait, m'a soufflé Ned. Pourquoi est-ce que vous vous êtes infiltrées ici ?

Étrange : c'est lui qui possédait ce timbre de basse rugueux que j'avais prêté à Parr. Bof, un peu lourd. Pourquoi m'étais-je mis en tête que mon Mystérieux Inconnu parlait comme ça ?

Le ballet nous a séparés une minute, ce qui m'a permis de réfléchir à une réponse. J'ai décidé d'avouer la vérité – du moins, partiellement.

– C'est Ashleigh, ai-je lâché.

Ned et moi enchaînions à présent les pas chassés vers la droite, puis la gauche. Nous formions un couple de danseurs bien assortis, de taille identique, si bien que nos yeux étaient pile au même niveau.

– Ash a parfois des idées fixes. L'an dernier, elle se passionnait pour la biologie marine, et l'année d'avant, pour la confiserie. Il n'y a pas moyen de l'arrêter, sauf à l'enfermer et à murer les portes et les fenêtres.

Le ballet a emmené Ned du côté d'Ashleigh. Les cavaliers ont fait tourner leurs cavalières. J'ai retenu mon souffle pendant que la main de Parr se posait sur mon bras. J'ai eu à peine le temps de plonger mes yeux dans les siens que déjà, Ned était de retour.

– Ashleigh est incroyable ! Je n'ai jamais vu quelqu'un danser le quadrille avec autant d'enthousiasme ! Bon, j'admets que je n'ai pas vu beaucoup de monde danser le quadrille... (Il s'est éloigné un instant dans la diagonale opposée, tandis que je présentais ma main à un homme bedonnant, entre deux âges)... excepté certains profs et les filles de Mademoiselle Wharton. Et puis nous, bien sûr, quand on n'a pas le choix.

– Désolée de t'infliger ça, ai-je répliqué, un peu vexée.

– Oh, non, ce n'est pas ce que je voulais insinuer ! Au contraire, je m'amuse bien, contre toute attente ! a-t-il affirmé avec un grand sourire. Pour une fille, t'es pas si mal.

La chanson s'est arrêtée et nous avons terminé par une révérence. Il y a eu quelques secondes de gêne, pendant lesquelles nous sommes restés disposés en carré tous les quatre, sans savoir quoi faire de notre peau. Et puis la musique a repris. J'ai cru reconnaître, derrière une valse de Strauss, une mélodie des Pulls Mouillés qu'Ashleigh avait écoutée en boucle tout l'été, et qu'elle n'avait pas reniée malgré sa nouvelle passion.

– Eh, Linotte, ils jouent ton morceau ! s'est écrié Parr.

– Oh, tu es un fan des Pulls Mouillés ? s'est exclamée Ashleigh.

– Ouais, j'aime bien ce qu'ils font, a admis Ned.

– Ne sois pas si modeste, a dit Parr. Il a écrit cet arrangement. Ned est le compositeur de l'école.

– C'est vrai ? J'adore ! s'est enflammée Ashleigh.

– Dans ce cas, accepterais-tu de m'accompagner ? lui a-t-il proposé.

Parr s'est penché vers moi.

– Me ferais-tu l'obligeance de m'accorder cette danse ?

Une fois seuls – aussi seuls qu'on peut l'être sur une piste de danse, en tout cas –, la belle éloquence de mon héros s'est volatilisée. De mon côté, j'avais perdu ma langue avant même d'entrer dans la Grand-salle. Debout contre l'Objet de toutes mes Pensées, ma main dans la sienne, alors que mon cerveau envoyait des messages frénétiques à mes orteils pour éviter qu'ils écrasent les siens, comment aurais-je pu articuler le moindre son ? Je craignais que ma nervosité n'ait contaminé mon partenaire.

Le silence a duré. L'un de nous deux devait le briser. Parr s'est lancé.

– On ne s'était pas déjà rencontrés ?
– Oh, si, je m'en souviens parfaitement.
– Hangar des Sports ou Halle aux Vêtements ?
Tu discutais avec Sam Liu, pas vrai ?
– Oui. Il paraît que tu connais son frère ?
Vous êtes ceintures noires en Nintendo ?
– Euh... tu veux sans doute parler du kendo ?
Si seulement ! Non, je ne suis qu'en vert.
– Le kendo, oui, bien sûr ! Je ne suis pas
une ceinture noire en conversation...
– Il fait super chaud, tu ne trouves pas ?
Après la danse, je t'offre une boisson.
Il y a un bar dans le parc, derrière,
juste à côté de superbes parterres.

J'ai hoché la tête et je me suis enfermée de nouveau dans le mutisme. Je me serais donné des coups de fouet tellement mes remarques étaient stupides. Autant lui dire carrément que j'avais conservé et chéri chaque souvenir de lui au fond de mon cœur comme un trésor. Pas cool, pas cool... Et confondre le kendo avec Nintendo... quelle gaffe ! Il devait me prendre pour une andouille. Mais qu'il était beau quand il a souri de ma bourde ! Ses yeux turquoise s'étaient plissés et une fossette s'était creusée dans sa joue gauche. En plus, il avait eu la délicatesse de changer de sujet et d'offrir d'aller acheter des boissons. Mais peut-être cherchait-il une excuse pour se débarrasser de moi...

Tout en ruminant ces pensées, j'ai valsé dans ses bras jusqu'au vertige.

Et puis la danse s'est achevée. Les couples ont applaudi poliment. J'ai récupéré mes affaires derrière l'armure, et Parr et moi sommes sortis goûter la douce fraîcheur des nuits d'octobre.

Chapitre 6

Le bal des casse-pieds. – La sainte quête
du Canada Dry. – Les Grandes Eaux de Forefield...
– Où l'on danse la « Sir Roger de Coverly ».

Vous représentez-vous une scène romantique avec flonflons lointains, brises suaves et parfumées, et lanternes clignotant dans un paysage baigné par le clair de lune ? Vous m'imaginez frissonnante tandis que Parr m'enveloppe tendrement dans mon châle ? Dans votre vision, laisse-t-il innocemment traîner un bras autour de mes épaules pendant que nous restons accoudés à la balustrade, à contempler les étoiles ?

Ô, douces illusions !

La terrasse en briques qui domine le parterre était bondée. Ledit parterre, au cas où vous vous seriez posé la question comme moi, consiste en un ensemble de platebandes semées en damier. La saison de la floraison étant passée depuis longtemps, il se réduisait à une longue pelouse qui descendait en pente raide vers le fleuve. Des petits escaliers et des sentiers couverts de gravier serpentaient entre les platebandes, jalonnés par de grosses jarres en pierre noyées sous les graminées et les plantes grimpantes d'automne.

Des garçons en blazers, accompagnés ou non de leurs cavalières en robes pastel, jouaient des coudes pour atteindre la nourriture et les boissons. Des bretzels renversés craquaient sous les semelles. De temps en temps, on entendait des murmures, suivis de gloussements bruyants et sardoniques, comme pour saluer le succès d'une méchanceté gratuite. Libéré de son poste de guet à l'entrée, Face-de-Dindon arpentait la terrasse et reniflait l'air en traquant toute odeur de fumée suspecte.

Grandison Parr m'a conduite jusqu'à un coin abrité, à côté de deux gros pots de fleur.

– Qu'est-ce que je t'offre à boire ?

– Mmm... un Canada Dry ? ai-je répondu en espérant que ça ne ferait pas trop bébé.

– D'accord. Je reviens tout de suite.

Il a fendu la foule en direction du bar. J'ai suivi sa tête blonde des yeux quelques instants, puis il s'est retourné et je me suis dépêchée de regarder ailleurs, honteuse qu'il m'ait surprise en train de l'observer. Quand je l'ai cherché de nouveau, il avait disparu.

Un long moment s'est écoulé.

J'ai joué avec les franges de mon châle ; je faisais des tresses, je les dénouais, je les renouais. Je me demandais si Ashleigh dansait toujours. J'ai hésité à aller la retrouver mais j'ai préféré ne pas bouger.

Près de moi, des grands dadais se donnaient des coups de coude et des coups de poing. Ils ont fini par éjecter un de leurs camarades du cercle. Il s'est approché de moi d'un air gauche.

– Euh... tu veux danser ? a-t-il marmonné en s'adressant à un point invisible au-dessous de mes clavicules.

Il devait avoir quatorze ans, maximum.

– Désolée, je ne peux pas... J'attends mon... cavalier. Il est parti acheter des boissons.

Le garçon a ravalé sa salive et il est retourné se réfugier auprès de ses copains en traînant les pieds.

Une fille en robe verte, appuyée contre la même jardinière que moi, m'examinait en biais. J'ai voulu engager la conversation mais son cavalier est réapparu et ils se sont acheminés vers la salle de bal.

Un beau jeune homme à la démarche de grand félin (un élève de première, sans doute, ou de terminale) a aussitôt pris sa place. Il a tiré deux cigarettes de la poche de son blazer et me les a tendues.

– Je t'échange une clope contre du feu, a-t-il proposé.

J'ai secoué la tête.

– Désolée, je n'ai pas d'allumettes.

Il les a rangées et s'est rapproché. Nos bras se frôlaient. Je me suis écartée discrètement mais ça n'a servi à rien : il s'est affalé un peu plus.

– On dirait qu'ils en ont fini avec les vieilles daubes, a-t-il lâché au bout d'une minute. Allons danser.

– Je ne peux pas. J'attends quelqu'un.

Il a haussé un sourcil.

– Ça fait un bail que tu poireautes. Tu es sûre qu'il ne t'a pas oubliée ?

Je commençais sérieusement à me poser la question. Le prédateur a profité de son avantage.

– Tu t'ennuies, ça se voit. Si tu ne veux pas danser, on peut se trouver une autre occupation...

Il m'a jeté un coup d'œil explicite. Il y a un siècle, il aurait sûrement tiré sur sa moustache. Je me suis cramponnée à la jardinière en réfléchissant à un moyen de me débarrasser de lui.

À mon grand soulagement, les secours sont intervenus : la cause de tous mes soucis arrivait en courant à ma rescousse.

– Ah ! te voilà, s'est écriée Ashleigh. Vous voyez, je vous avais bien dit qu'elle serait encore là !

Parr et Ned avançaient à pas de tortue derrière elle en essayant de ne pas renverser nos boissons.

– Pardon d'avoir été si long, s'est excusé Parr. Ils n'avaient pas de Canada Dry au bar. J'ai dû essayer trois distributeurs différents.

D'un geste élégant, il m'a présenté une canette fraîche. Heureuse de tenir enfin quelque chose pour occuper mes doigts, je me suis empressée de la décapsuler et de l'entamer. Les bulles me sont montées au nez.

Le grand fauve m'a lancé un regard entendu.

– Parr, ta copine a failli ne pas t'attendre, tu sais... Hé ! T'as rien pris pour moi ?

– Salut, Chris, a répondu Parr d'un ton sec. Il paraît que Waters te cherche. Oh ! tiens : justement, le voilà.

En effet, Face-de-Dindon fonçait droit sur nous. Chris m'a caressé le bras et m'a susurré :

– À plus tard.

Puis il s'est volatilisé.

– Beurk ! C'était qui, ça ? a demandé Ashleigh.

– Je ne sais pas. Un horrible séducteur au nom en W, peut-être ? ai-je suggéré en faisant allusion au pervers Wickham d'*Orgueil et préjugés*.

– Tu ne connais pas Chris ? Chris Stevens ? s'est exclamé Parr. Lui, il avait l'air d'être intime avec toi. Ou de vouloir le devenir. (Il a marqué une pause, comme s'il hésitait à révéler des détails sur le compte de ce triste personnage.) J'espère qu'il ne t'a pas trop embêtée. Je suis vraiment désolé de t'avoir abandonnée si longtemps.

– Grand Parr n'est qu'une vieille tête de mule, a grommelé Ned. Ashleigh lui a pourtant répété qu'un Sprite ou un Coca ferait l'affaire : il n'a rien voulu entendre. Il a fallu qu'on galope jusqu'à la nouvelle bibliothèque des sciences.

– J'avais promis de rapporter un Canada Dry, a-t-il rétorqué. Une promesse est une promesse. Mais si j'avais su que Chris traînait dans les parages... Il s'est montré franchement odieux ?

– Non, rien de très méchant, il m'a juste invitée à danser.

– Eh, ce n'est pas une mauvaise idée ! a dit Ned. Les valses sont enfin terminées. Non pas que tu sois désagréable à regarder valser, loin de là, a-t-il ajouté à l'intention d'Ashleigh, mais maintenant, nous ne serons plus tous seuls sur la piste... avec les profs, je veux dire...

– Je suis partante, ai-je annoncé, pressée de décoller de ma jardinière.

J'ai vidé ma canette d'un trait, et nous sommes retournés à l'intérieur.

La musique et la foule avaient augmenté en volume depuis qu'un D.J. avait remplacé l'orchestre.

Au début, sans l'enchaînement de pas bien établi du quadrille auquel me raccrocher, je me sentais plus intimidée que jamais. Se trémousser en robe de bal sous les yeux de l'Homme de vos Rêves n'est pas fait pour vous mettre à l'aise. Des décharges d'électricité me parcouraient de la tête aux pieds dès qu'il me frôlait. Cependant le rythme a fini par prendre le dessus et je me suis laissée gagner par la sensation de délivrance qui accompagne toute activité physique intense.

Rapidement, des amis de Parr et de Ned nous ont aperçus et se sont joints à nous. Après quelques chansons, je me suis retrouvée cernée, coupée de mon amie et de nos sauveurs. Le soda a commencé à produire ses effets. Je me suis excusée en espérant que l'essaim de garçons allait rester sur la piste, et j'ai filé en quête des toilettes.

Figurez-vous qu'on croise peu de WC pour dames dans une école pour garçons. En plus, toutes les portes se ressemblaient. J'ai découvert un vestiaire, un placard à balais, un jardin d'hiver dégoulinant de verdure, ainsi que quantité de pièces de tailles et de formes diverses, lambrissées et tapissées de livres... Agacée, je suis enfin tombée sur un chaperon qui m'a orientée vers des toilettes pour garçons provisoirement affectées aux invitées. Une sortie d'imprimante laser collée sur la porte disait : « Garçons : STOP ! Filles : O.K. ! » Difficile de faire plus clair.

Toute la soirée, j'avais éprouvé une sensation de gêne, comme si je m'étais introduite dans le pensionnat par effraction ; mon malaise s'est accentué dans cet endroit. Les urinoirs me perturbaient beaucoup. Ils étaient complètement découverts, sans même des demi-cloisons pour les séparer. Avec leurs grands cols proéminents, leur odeur âcre d'ammoniaque et de détergent surpuissant ajoutés à un autre élément indéfinissable, je n'ai pas pu passer à côté sans frémir.

J'ai choisi un box au bout de la longue rangée. Tandis que je reposais mes pieds en contemplant les lignes et les colonnes de carreaux bleus qui dansaient un quadrille sous mon nez, j'ai entendu la porte s'ouvrir à la volée. Je me suis figée. Des garçons ? Non, ouf ! Il s'agissait plutôt de filles. De filles inscrites dans une école privée, à en juger par leurs intonations. Peut-être des élèves de Mademoiselle Wharton ?

J'ai préféré patienter jusqu'à ce qu'elles ressortent.

Elles semblaient être quatre ou cinq. Certaines se sont enfermées dans les box tandis que leurs copines restaient du côté des lavabos. Deux d'entre elles ont comparé et échangé leurs rouges à lèvres ; une autre a réclamé un peigne.

– Tu me promets que tu n'as plus de lentes ?

– Tu vas arrêter avec ça ? On était en CM1, c'était il y a six ans !

81

Elles se sont ensuite adressé des compliments sur leurs chaussures, avant de critiquer plusieurs garçons, tous inconnus de moi à l'exception de Chris Stevens.

– Quel taré, celui-là ! Il est insupportable. Ne le laissez pas s'approcher de moi ! s'est écriée une jeune fille à la voix mélodieuse.

– Oh, je ne sais pas... il a une sorte de charme visqueux.

– Oui, si tu aimes que les garçons te dégoulinent dessus.

Leur conversation a duré une éternité. Le siège des toilettes s'enfonçait peu à peu dans la moitié supérieure de mes membres inférieurs. Je m'apprêtais à prendre la fuite quand un nom familier a glissé sur le tapis.

– Qui je prendrais ? Si je devais choisir qui je voulais dans toute l'école ? Alors ce serait Parr, a affirmé la voix de pinson.

– Grandison Parr ? Celui qui est en première ? L'escrimeur ?

– Lui-même ! Mmm, trop bon ! On en mangerait !

– C'est vrai ? Tu as déjà goûté ?

– Non, j'aimerais bien ! Mais je n'ai pas eu cette chance.

– Parr ? Il n'est pas déjà pris ? a dit une des filles depuis son box. Je l'ai vu avec une grande...

Un bruit de chasse d'eau inopportun a résonné dans la pièce carrelée et haute de plafond, noyant le reste de la phrase. Exaspérée, j'ai attendu que l'eau s'arrête de gargouiller, puis j'ai écouté avec attention la suite de cette discussion fascinante.

– ... et la petite en rouge ? D'où viennent-elles, ces deux-là ? Vous avez vu leurs robes ?

– À mon avis, la grande, c'est sa sœur. Elle lui ressemble un peu et puis elle a surtout dansé avec le baltringue en costume trois pièces.

– Non ! Tu laisserais ta sœur danser avec un bouffon pareil, toi ?

– Et ta copine, alors ?

– Ils étaient tous les quatre ensemble au début, en tout cas. La fille en rouge sautait partout ! Ça m'étonnerait que ce soit le sergent-chef du quadrille qui lui ait appris ça !

– Le gars avec le costume bizarre partage la chambre de Parr à l'internat. Pour moi, il sort avec la robe grise. Elle...

Comme pour me narguer, quelqu'un d'autre a terminé ses petites affaires et a tiré la chasse d'eau. Quand le silence est revenu, elles sortaient en faisant claquer leurs talons. Je suis restée seule à fixer les carreaux bleus d'un air bête.

À mon retour, Ned et Ashleigh dansaient énergiquement aux dernières mesures du tube des Pulls Mouillés (la version originale, pas celle de Ned), tandis que Parr les regardait avec un sourire amusé.

– Te revoilà, m'a-t-il dit. J'avais peur de t'avoir perdue une deuxième fois.

83

– Il m'a fallu un moment pour repérer les toilettes des filles. Elles sont cachées derrière une sorte de serre et une pièce pleine de coupes en argent dans des vitrines en verre.

– Ah, tu as visité la salle des trophées ? Excellent endroit pour faire la sieste au lieu d'aller en étude. Il y a un énorme canapé bien moelleux derrière les armoires et personne n'y va jamais.

À la fin de la chanson, le trompettiste a repris son instrument. J'ai constaté que l'orchestre regagnait sa place sur le balcon. Le silence s'est fait. Parr s'est penché et a murmuré à mon oreille :

– Je suis au regret de t'annoncer que la soirée touche à sa fin.

Son souffle me chatouillait le cou. Mon cœur s'est mis à battre si fort que j'ai eu peur qu'il l'entende cogner contre mes côtes.

– *Ladies and gentlemen*, veuillez prendre place pour la gigue américaine ! a clamé le trompettiste.

Des protestations et des plaintes se sont élevées de la salle :

– Oooh ! Déjà ?

Du temps de Jane Austen, du moins dans ses romans, cette danse alors appelée la « Sir Roger de Coverly » marquait la clôture du bal.

– On devrait téléphoner à Zach, ai-je chuchoté à Ashleigh.

– Zach ? a répété Ned.

– Un ami qui nous ramène en voiture, ai-je expliqué.

84

Ashleigh a récupéré son sac à main derrière le faux chevalier, en a extirpé son portable et me l'a tendu.

– Tiens, vas-y. Il suffit de faire « Bis », m'a-t-elle dit en prenant le bras de Parr.

Ned m'a offert le sien une nouvelle fois.

La « Sir Roger de Coverly » est une danse compliquée, qui exige un grand engagement physique. Il est difficile de l'exécuter convenablement tout en discutant sur un portable. Mais je me suis débrouillée du mieux que j'ai pu et dès que les déplacements incessants du quadrille m'ont permis de croiser le chemin d'Ashleigh, je lui ai confirmé que notre chauffeur arrivait.

Chapitre 7

Le coup du soulier. – Les adieux des héroïnes
à Forefield. – Les pancakes de l'angoisse.

Les garçons ont insisté pour nous raccompagner jusqu'à la grille où nous avions rendez-vous avec Zach. Juchée sur mes escarpins inconfortables, j'ai raté une marche en dévalant le perron. Ma chaussure droite s'est envolée et j'aurais pu tomber si Parr ne m'avait pas rattrapée.

– Attention, Cendrillon !

Il a ramassé mon escarpin et a fait mine de le garder.

– J'ai peut-être intérêt à conserver ce soulier au cas où j'aurais besoin de te retrouver ?

– Alors tu vas devoir me porter jusqu'à ma citrouille.

– Ne me tente pas.

Il s'est agenouillé. Dans cette position, il me rappelait un prince de conte de fées. Ou un vendeur de chaussures à l'ancienne, comme ceux que votre grand-mère vous emmène voir et qui mesurent votre pointure avec un pédimètre en métal tout froid.

Non, plutôt un prince. Dans mes souvenirs, les vendeurs ont toujours un début de calvitie bien visible d'en haut. Mais la chevelure fournie de Parr brillait d'un éclat pâle au clair de lune.

Il a fait glisser ma chaussure sur mon talon d'un geste délicat. Puis il s'est relevé, a repris mon bras et l'a tenu fermement tandis que je descendais avec prudence la pente couverte d'herbes hautes. Nous avons rattrapé Ash et Ned, qui étaient occupés à classer les chansons des Pulls Mouillés en fonction de celles qui feraient les meilleures valses à trois temps.

Je n'ai pas vu passer le reste de la promenade.

– Messieurs, nous ne vous remercierons jamais assez de votre galanterie, a déclaré Ashleigh, une fois arrivée sous les lions de pierre.

– C'était un plaisir, vraiment, a répondu Parr. Mais la prochaine fois, ne fournissez pas de prétexte à 100 000 Wattheures pour vous glouglouter après. Il serait trop content. Appelez d'abord ou envoyez-nous un mail : je ferai en sorte de vous avoir des invitations officielles. Tenez... Linotte, tu as un stylo ?

Ned a choisi un petit feutre parmi les nombreux articles que contenait son gousset.

– Papier ? a demandé Parr en fouillant ses propres poches.

– Tu peux écrire dans ma main, a proposé Ashleigh. J'ai l'habitude.

Zach est apparu au moment où Parr se penchait sur la paume d'Ashleigh.

– Oh-ho ! Grandison Parr ! s'est-il écrié en ouvrant la

portière du passager. Tiens donc ! Est-ce que tu traites ces petites demoiselles comme il faut, au moins ?

– Petites demoiselles ! a rouspété Ashleigh. Petites demoiselles !

Elle a agité sa main pour faire sécher l'encre, avant de monter dans la voiture d'un air irrité.

– Mr. Parr nous traite avec beaucoup plus de respect que vous, Mr. Liu. Mr. Downing et lui nous ont débarrassées d'un fâcheux particulièrement menaçant et ont dansé un quadrille, une valse et la « Roger de Coverly » avec nous. C'est un parfait gentleman.

– Ah, oui ? Je suis soulagé de l'apprendre, parce que quitte à botter un derrière, j'aimerais autant que ce soit celui d'un autre. Je finirais par avoir le dessus, bien sûr, mais pas sans transpirer un peu. Tu as décroché la ceinture noire, Parr ?

– Non, ne t'inquiète pas, tu restes le seigneur incontesté des tatamis. Ravi de constater que la Poubelle est toujours en un seul morceau. Si tu te préoccupes tellement de la sécurité des filles, pourquoi tu les conduis dans ce vieux tas de ferraille ?

J'ai été très étonnée de l'entendre parler dans ces termes du bijou de Zach, sa joie et sa fierté. L'an dernier, Haichang Liu a légué à son fils la vieille Saab de la famille (Zach préfère dire « la Saab de collection ») comme cadeau de diplôme anticipé quand il a été reçu à l'Université de Cornell. Zach a passé tellement de temps à changer des pièces, à la régler et à l'astiquer que j'étais surprise qu'il ait obtenu son diplôme au bout du compte.

– Jaloux ? s'est-il esclaffé. Apprends la discipline, petit scarabée, et un jour peut-être, toi aussi, tu seras digne de posséder une voiture de ce calibre. Allez, Julie, monte.

– *Hai, Sensei.*

Parr a exécuté un salut d'art martial, paumes jointes. Puis il m'a ouvert la portière, m'a aidée à monter et m'a tendu le bout de mon châle qui pendait à l'extérieur.

– Merci pour tout, ai-je dit. À toi aussi, Ned.

– Non, merci à vous, a répondu ce dernier en passant la tête par la vitre d'Ashleigh. Je n'aurais jamais pensé que je m'amuserais autant en dansant le quadrille. Je suis heureux que vous ayez décidé de vous incruster.

– Moi aussi, a acquiescé Parr. Évitez juste de vous incruster dans un tronc d'arbre sur le retour – hein, Zach ? Écrivez-nous sur l'adresse mail que je vous ai donnée pour confirmer que vous êtes rentrées saines et sauves, d'accord ? Cparr@forefield.org.

– Ouais, ouais, c'est ça... Dégage avant que je t'incruste mon poing dans la figure, a rétorqué Zach.

Parr a refermé la portière ; puis il a donné une petite tape sur l'arrière de la carrosserie, à la manière d'un cowboy avec un cheval, et la voiture a démarré.

– Alors tu connais Grandison Parr ? a demandé Ashleigh.

Zach a hoché la tête.

– Il fait un peu son malin, mais c'est une fine lame et un type bien, dans l'ensemble. Plus que bien, même. Il a poussé la Saab avec moi jusqu'en haut de la butte pour la mettre au garage, l'été dernier, quand elle est tombée en panne près du dojo. Évidemment, maintenant, il se croit tout permis. La « Poubelle », je te jure ! En tout cas, il a l'air de t'apprécier, a-t-il ajouté en jetant un regard appuyé à Ashleigh.

– Quand vous êtes-vous rencontrés ?

– Oh, il y a trois ou quatre ans.

– Et dans quel endroit ?

– Au dojo. Il fait du kendo.

– Ah, vraiment ? Je pensais que l'administration de Forefield emprisonnait ses élèves au sommet de leur colline.

– Non, ils ont le droit de sortir pour ce genre d'activités. Tu ne les as jamais vus en train de faire de l'aviron sur le fleuve ou du cheval dans le parc avec leurs uniformes débiles ? Et puis sa famille a une résidence secondaire au nord de Byzance, alors il traîne dans le coin une partie de l'été.

Voilà pourquoi je l'avais aperçu en ville avant la rentrée.

– Croise-t-on beaucoup de filles au dojo ? s'est enquise Ashleigh.

– Quelques-unes. Beaucoup moins que de garçons, mais il y a quand même deux profs femmes, une classe de self defense et quelques cours de karaté assez populaires chez les demoiselles. Pourquoi ?

– J'hésite à me mettre au kendo. Ce pourrait être amusant.

91

Elle ignorait donc que le kimono consistait en une tunique courte, de type peignoir, portée sur un pantalon ample ? Comment enverrait-elle un coup de pied à son adversaire vêtue d'une jupe longue ? Ou alors... oserais-je espérer un changement précoce de passion ?

– Je te verrais mieux en aïkido. Il faut utiliser la puissance de l'adversaire pour la retourner contre lui. Du coup, la taille n'a pas trop d'importance. Et vu que tu es plutôt un modèle réduit... enfin, en hauteur... L'important, c'est l'équilibre et la discipline.

L'équilibre et la discipline n'étaient pas les deux qualités principales d'Ashleigh. Mais je ne me suis pas mêlée à la conversation. Depuis qu'ils avaient abandonné le sujet captivant de Grandison Parr, elle avait cessé de retenir mon attention. Pendant les quelques minutes de trajet qui nous séparaient de nos domiciles, j'ai regardé fixement les arbres sombres défiler par la fenêtre en revivant les heures écoulées et en rêvant d'un futur incertain.

Le lendemain matin, un samedi, j'ai senti quelqu'un bondir sur mon lit, juste à côté de mes orteils. J'ai ouvert des grands yeux étonnés. Ashleigh, si tôt ! On pouvait compter sur les doigts d'une main le nombre de jours où elle s'était levée avant moi de son plein gré – et encore, en incluant les deux fois où elle avait oublié de programmer son réveil à l'heure d'été. Son enthousiasme devait atteindre des sommets.

– Alors ! Admets-le : j'avais raison d'insister pour qu'on aille à ce bal ! Je t'avais bien dit que tu rencontrerais ton Bingley, et moi, mon Darcy ! N'est-il pas merveilleux ? Quel charme, quelle galanterie ! Allez, debout ! On va rendre ses sacs à main à Samantha et voir si son frère est dans les parages. Peut-être qu'il pourra me dévoiler des informations sur Darcy.

– D'accord, d'accord... Aïe ! J'arrive, pas la peine de m'arracher un pied...

J'avoue que le parallèle entre Ned et Darcy m'a déconcertée. Le jeune compositeur possédait une belle carrure et il paraissait gentil, mais il n'avait rien en commun avec le héros fier et aristocratique d'*Orgueil et préjugés*, capable de se montrer aussi glacial qu'enflammé. Pas plus que Parr ne me rappelait l'agréable mais fade Mr. Bingley. Et pourquoi Zach nous ferait-il des révélations sur Ned ? J'ai attribué la confusion d'Ashleigh à l'Amour. Cette tendre passion n'est pas connue pour aiguiser l'intellect.

J'ai attrapé quelques manuels de cours, mon pull préféré (je devais passer le reste du week-end chez mon père) et j'ai sorti mon vélo dans la rue. Jusqu'à destination, Ashleigh a pédalé à côté de moi en jacassant, portant aux nues les danses, les robes, la musique, la salle de bal et, surtout, les gentlemen. Elle persistait dans son discours sur Mr. Darcy – la perfection incarnée disait-elle. Dans sa grande générosité, elle reconnaissait que « mon » Mr. Bingley était « un être charmant, intelligent et plein d'entrain ». Je n'ai pas pu m'empêcher de sourire à l'idée qu'on puisse préférer Ned à Parr, même si clairement, avec son enthousiasme débordant pour la musique et ses poches remplies d'objets singuliers, il semblait fait pour Ashleigh. Ils avaient des points communs jusque dans leur physique, avec leurs cheveux bouclés et leurs yeux d'un brun chaud.

Quand nous sommes arrivées chez les Liu, le couple de médecins plantait des bulbes dans son jardin.

– Bonjour, les filles, a lancé Lily. Samantha est dans la cuisine. Nous venons de finir notre petit déjeuner, mais il reste de la pâte à pancakes si vous avez faim.

– Mmm ! Merci, Dr. Lily, ai-je répondu.

– Je vous conseille de la cuire d'abord, a plaisanté Haichang.

– Est-ce que Zach est là ? s'est renseignée Ashleigh.

– Sûrement : je vois la Saab, ai-je dit.

– Il roupille encore, le flemmard, a soupiré Lily. Ça lui fera les pieds si vous finissez les pancakes avant qu'il soit levé. Allez-y tant que la plaque est chaude.

Sam était en train de ranger le beurre dans le frigo quand nous avons fait irruption dans la cuisine. Elle l'a aussitôt ressorti avec un grand sourire.

– Comment s'est passée la chasse aux mecs ? a-t-elle demandé en versant une louche de pâte sur la plaque. Il paraît que vous en avez récolté deux potables.

– En effet, nous avons eu la bonne fortune de faire la connaissance de deux jeunes gentlemen dont la réputation est excellente et la figure fort agréable, l'a informée Ashleigh.

– Mmm, ce ne sont pas exactement les mots que Zach a employés. Et toi, Julie ? Tu t'es bien amusée ?

94

– Franchement, en dehors de quelques moments embarrassants, c'était plutôt rigolo. Les gars qu'on a rencontrés sont vraiment gentils. L'un d'eux est le copain de Zach sur lequel on est tombées dans le Hangar aux Sports, tu te rappelles ? J'ai surpris des filles en train de se moquer de nos robes dans les toilettes mais apparemment, les garçons se fichaient pas mal de ce qu'on portait. En tout cas, il y en a des tas qui ont dansé avec nous. En résumé, c'est un des plans pourris d'Ashleigh les plus réussis.

Ashleigh m'a crucifiée de son Regard de Reproche.

– Tu connaissais déjà Grandison Parr ? s'est-elle indignée. Pourquoi ne m'avais-tu rien dit ?

– Oh, je... Il n'y avait rien de spécial à raconter. On s'est juste croisés au centre commercial. Il ne nous a pas adressé la parole et Sam ne se souvenait pas de son nom.

– Ah, *lui* ? Je l'aime bien, a déclaré Sam. Mais méfiez-vous. Si on était vraiment dans un roman de Jane Austen, un de ces deux types s'avèrerait être un goujat au bout du compte, un séducteur qui n'en veut qu'à votre fortune.

– Je ne cours aucun risque de ce côté-là, ai-je affirmé.

– Ou à votre honneur... peut-être même à vos vêtements. Vous avez vu le film *Clueless* ?

Ashleigh, qui retournait les pancakes, a répliqué avec dédain :

– Pardonne-moi mais si nous étions dans *Clueless*, nous serions toutes éprises de Zach.

L'intéressé a bien choisi son moment pour débouler dans la cuisine, vêtu d'un simple bas de pyjama. Il avait l'air très content de lui. Il faut croire que Zach partage l'avis unanime selon lequel son torse nu vaut le déplacement.

– Excellente idée ! Ça me plairait beaucoup. Comme ça, vous seriez gentilles avec moi et vous me laisseriez tous les pancakes, a-t-il dit en avançant sa fourchette.

Ashleigh a paré son attaque avec sa spatule.

– Eh ! Pas touche !

– Je parie que si j'étais Grandison Parr, tu me les donnerais. Mieux que ça : tu m'en préparerais une deuxième assiettée rien que pour moi ! En forme de cœurs.

En escrimeur aguerri, il a facilement esquivé la spatule. Il a piqué dans un pancake et l'a gobé en une seule bouchée. Puis il l'a fait couler avec une giclée de sirop en tenant la bouteille quelques centimètres au-dessus de ses lèvres.

Ashleigh se dandinait d'indignation.

– Si vous étiez Grandison Parr, jamais vous n'ôteriez le pancake de la bouche à une jeune dame sans défense ! Oh, rustre ! Misérable canaille ! Vous ne méritez même pas de prononcer le nom du noble Mr. Darcy !

J'étais si occupée à admirer le coup de main de Zach avec le sirop qu'il m'a fallu un moment pour comprendre le sens des propos d'Ashleigh. Quand je suis sortie de mon brouillard, un coup de massue s'est abattu sur moi.

– Darcy, me suis-je étranglée. Darcy... Parr ?

Je me suis mordu la langue de peur de dévoiler des sentiments que je n'avais pas encore eu le temps de bien décrypter. Trop tard. Tous les yeux étaient braqués sur moi.

– Eh bien, naturellement ! À qui pensais-tu ? À Ned ? Ned la Linotte ? Lui, Mr. Darcy ?

– Non, bien sûr que non, n'importe quoi ! ai-je rétorqué. Si tu veux mon avis, aucun des deux ne ressemble à Darcy.

– En es-tu certaine ? Tu tenais un autre discours ce matin. Je me souviens de t'avoir vu hocher la tête quand j'ai affirmé que Darcy était merveilleux. Par ailleurs, ne protesterais-tu pas avec un peu trop de force pour être sincère ? Non ?

– Regardez ! a renchéri Zach. Elle rougit ! Ooh ! J'ai l'impression que la sage Julie a perdu la raison. Qui aurait prédit que les garçons de Doryphore-field briseraient deux cœurs en une soirée ?

– Arrêtez ! Vous êtes nuls ! Berk... Ned ? Berk et re-berk ! Je ne l'aime pas du tout. Je veux dire, je l'aime bien, il est gentil, mais ça s'arrête là.

La panique me faisait retomber en enfance. Ashleigh affichait une expression satisfaite et condescendante.

– Allons, allons, ma très chère Julia, il est inutile de nier l'évidence. Ned est un garçon absolument charmant, et presque aussi beau que mon Parr. On ne saurait imaginer couple mieux assorti : vous mesurez exactement la même taille. Et tu lui plais, Julie ! Tu ne peux pas l'ignorer. Il a dansé la première et la dernière danse avec toi. Tu l'aurais vu insister auprès de Parr pour qu'il te prenne un Sprite plutôt qu'un Canada Dry afin de te retrouver au plus vite ! Il m'a même demandé ton adresse mail. En réalité, il a demandé nos deux adresses, mais je ne lui ai fourni que la tienne. Ses intentions étaient limpides.

Devais-je la croire ? Ned aurait-il développé les mêmes sentiments pour moi que ceux que je nourrissais envers Parr ?

Samantha s'est aperçue de mon embarras et elle a pensé me rendre service en détournant la conversation sur Ashleigh.

– « Ton » Parr ? Tu admets être amoureuse ?

La réponse de celle-ci m'a achevée.

– Amoureuse ? Je ne sais que te dire. Si tu estimes, comme notre professeur d'anglais, Madame Nettleton, que le grand amour se manifeste sous la forme de vers rimés dès le premier dialogue, alors non. Je confesse cependant que jamais encore je n'avais rencontré de gentleman aussi galant, courageux et beau que Grandison Parr. S'il existait un homme né pour s'emparer de mon cœur, cet homme serait Grandison Parr. Et bien que la modestie me commande de les ignorer, certains signes laissent deviner qu'il retourne mon affection. Il a dansé le quadrille avec moi. Il a prolongé sa quête du Canada Dry autant que possible afin de nous ménager un long entretien privé, avec Ned pour seul chaperon. Il m'a amplement interrogée sur mon enfance, ma demeure et la société que je côtoie, témoignant d'un intérêt très vif pour tous mes faits et gestes. Et puis il a pris ma main dans la sienne pour y noter son adresse mail. J'entends en conserver la marque tant que l'hygiène le tolèrera.

Triomphante, elle nous a montré sa paume.

– Ouais, j'ai assisté à la scène, a confirmé Zach. Petite chanceuse ! S'il te plaît, s'il te plaît, tu me donnes un autre pancake ? J'ai bien droit à un lot de consolation, non ?

Elle lui a décoché un regard méprisant et m'a offert les pancakes. J'ai essayé de les manger comme si de rien n'était, mais ils me sont restés en travers de la gorge. À la première occasion, je me suis enfuie chez mon père pour remâcher ma déception dans l'intimité de ma chambre.

Chapitre 8

Où l'auteur renonce à son rêve. –
Puis sauve sa dignité. – Des cartons. – Un e-mail.

J'ignorais si Grandison Parr avait développé un pen-chant pour Ashleigh au cours de la soirée, mais ses sentiments à elle ne faisaient aucun doute. Je ne connais-sais que trop bien cette lueur d'enthousiasme au fond de sa prunelle.

Toute la nuit, je m'étais repassé le film de la soirée en tentant de me persuader que je ne déplaisais pas à Parr. Et si je m'étais trop avancée ? Assise sur mon lit, j'ai décortiqué de nouveau les événements de la veille, un à un. Et quelle différence cette fois ! Les détails sur lesquels j'avais fondé mes espoirs pouvaient aussi bien les démolir.

Au début, la vitesse à laquelle Parr nous avait déli-vrées du dindon m'était apparue comme un signe favo-rable : une preuve que mon héros m'avait remarquée et que je l'attirais. Mais le galant jeune homme n'aurait-il pas volé à l'aide de n'importe quelle personne en détresse ? Autre hypothèse (qui m'a fait frémir rien que d'y penser, puis frémir de honte à l'idée que j'avais frémi rien que d'y penser) : le charme et l'audace d'Ashleigh l'avaient conquis et convaincu de nous aider. Sa vitalité, conjuguée à une maturité physique précoce particulièrement mise en valeur par la robe cramoisie, semblait séduire les garçons. Même Zach y était sensible. Pourquoi pas Parr ?

Ensuite Parr avait dansé le premier quadrille avec elle. Bien sûr, elle l'avait pratiquement traîné sur la piste de danse. Mais il n'avait pas beaucoup résisté, loin de là, et ils s'étaient amusés comme des petits fous en se racontant des tas de choses. Alors que pendant notre valse, lui et moi étions raides et maladroits, incapables de soutenir la conversation. (Au souvenir de cette valse et de la sensation de sa main sur ma taille, j'ai frissonné de plaisir et de désespoir.) On pouvait expliquer sa gaucherie par l'émotion, par une timidité d'amoureux. Ou par le fait qu'il s'ennuyait avec moi, tout simplement.

Or, personne ne trouvait Ashleigh ennuyeuse.

L'épisode de sa longue disparition avait déjà éveillé mes soupçons sur le moment : voulait-il se débarrasser de moi ? Pourtant il s'était donné tant de peine pour me dégoter cette canette introuvable que mes doutes s'étaient envolés à son retour. J'étais profondément touchée. Mais la théorie d'Ashleigh me paraissait maintenant tout aussi plausible : il souhaitait profiter de son tête-à-tête avec elle.

Quant aux autres indices positifs – ses taquineries amicales, ses froncements de sourcils en voyant l'hor-

102

rible Chris s'approcher trop près de moi, ses allusions à Cendrillon et à son prince, rôle qu'il prenait un malin plaisir à jouer –, ils s'évanouissaient aussi en y regardant de plus près. Je me suis mordu les lèvres pour me retenir de pleurer de jalousie. Pourquoi fallait-il qu'Ashleigh soit toujours la plus gâtée ? D'abord, elle s'appropriait mon auteur préféré et maintenant, elle me volait mon amour secret !

Pendant longtemps, j'ai lutté contre moi-même, partagée entre la rancœur et la culpabilité. Je n'avais aucune raison de mettre en doute la loyauté d'Ashleigh ni son innocence. Pour commencer, elle ignorait que j'aimais Parr. Au fond, tout était ma faute puisque j'avais refusé de me confier à elle. Ash n'aurait jamais lorgné un garçon si elle avait su que je l'aimais. Pour moi, elle avait même renoncé à entrer au couvent à huit ans en apprenant que les filles juives n'avaient pas leur place dans une communauté de sœurs catholiques.

Mais puisque je n'avais pas la même excuse, connaissant ses sentiments, il était normal que je refoule les miens. Du reste, j'étais bien plus douée qu'Ashleigh à ce petit jeu-là. Peu importait les souffrances que je devrais endurer, je me prouverais que j'étais capable de me montrer aussi généreuse que mon amie.

Je m'interrogeais cependant sur les chances d'Ashleigh. Elle s'était peut-être bercée d'illusions, comme moi. Rien ne permettait d'affirmer que Parr avait jeté son dévolu sur elle. Nous étions loin d'être les seules à l'admirer. Je me suis souvenue par exemple de cette fille dans les toilettes, qui avait avoué son faible pour lui. Elle le jugeait inaccessible. Elle pensait aussi qu'il était déjà pris – soit par moi, soit par Ashleigh. Peut-être avait-elle raison, même si elle se trompait sur l'identité de la copine !

Et quand bien même le cœur de Parr serait libre, est-ce que cela changeait quoi que ce soit ? Il était coincé à Forefield et nous n'aurions probablement pas l'occasion de faire plus ample connaissance avec lui.

C'était sans espoir. Le monde qui, quelques heures avant, m'avait semblé si lumineux et si vif s'est terni d'un seul coup. Les feuilles qui resplendissaient derrière ma fenêtre m'ont paru soudain délavées, comme si plus rien ne comptait, même pas l'automne. Je me suis rallongée sur le lit, j'ai fermé les paupières et j'ai laissé mes larmes ruisseler sur mes tempes.

Ma belle-mère a toqué une fois à la porte pour la forme avant de débouler à l'intérieur sans attendre ma permission.

– Jul... Oh, tu fais la sieste ? m'a-t-elle dit d'un ton de reproche. Ça te dérangerait de venir m'aider en bas, ma puce ? Je suis censée ne rien soulever.

J'entendais le tintement des pièces imaginaires qui tombaient dans ma tirelire : une pour ne pas avoir séché Amy qui interrompait grossièrement une période de profonde contemplation, deux autres pour m'être abstenue de lui répondre qu'elle était parfaitement capable de porter ses sacs de courses elle-même, et trois de plus pour ne pas avoir démoli tous les meubles de la pièce dans mon désespoir.

J'ai passé l'après-midi à ranger des paquets de vingt-quatre rouleaux de papier toilette, des boissons allégées et autres produits fascinants dans le débarras, avant de transbahuter de la camelote de la cave jusqu'à la mansarde. Mon état émotionnel ne me permettait pas de poser des questions mais j'espérais secrètement que l'I.C. préparait un nouveau nid douillet pour sa machine à coudre. Elle l'utilisait souvent depuis quelques semaines. La table de ma chambre était jonchée d'échantillons de tissu de couleurs claires.

J'ai obtempéré docilement à ses ordres. L'activité physique me changeait les idées et m'apaisait. Mais j'étais torturée par un profond chagrin qui étouffait tout désir de socialisation. Quand Ashleigh a téléphoné dimanche, j'ai même demandé à Amy de lui répondre que j'étais occupée.

Ce n'est que lundi soir que j'ai trouvé le courage de lire mes mails. Je suis tombée sur ce message :

De : Downing, Ned <edowning@forefield.org>
Envoyé : dim. 02:21
À : julielefk@hotmail.com
Objet : têtes à l'envers

salut julie,
c'était sympa de dansre avec toi et ashley. si vous vous glissez discrètement dans la grande salle pour mettre les tableaux des

têtes pensantes de forefield à l'nevers, est-ce qu'elles deviendront des pieds pensants ? et si vous les accrochez dans les escaliers, tu crois qu'elles marcheront sur la tete ? j'epsère que vous viendrez me filer un coup de main j'ai un plan mais je ne sais pas si ça va marcher. s'il te plaît dis bonjour à ashley pour moi. tu as son adresse mail ?

amitiés

ned

Oh, génial, me suis-je dit. Pour une fois qu'un garçon m'invitait à sortir avec lui, c'était : (a) le mauvais garçon ; (b) il ne savait pas écrire ; et (c) il fournissait le prétexte le moins romantique du monde : une blague de potache.

Pendant une minute douloureuse, j'ai hésité à accepter sa proposition : comme le rendez-vous aurait forcément lieu sur le campus de Forefield, cela me laissait une petite chance de revoir Parr. Mais je n'ai pas tardé à me ressaisir : ce plaisir m'était interdit, je ne devais pas l'oublier.

Que lui répondre ? Lui transmettre l'adresse d'Ashleigh ne pouvait que déclencher des frasques rocambolesques. Si on lui tendait la perche, l'Enthousiaste insisterait sans doute pour retourner tous les portraits, non seulement par espièglerie, mais aussi pour le motif qui me poussait, moi, à refuser : la perspective de croiser Darcy. D'un autre côté, ne pas répondre du tout était méchant. (D'autant que si je ne me trompais pas, et qu'il avait craqué pour Ash, il parviendrait peut-être à la séduire et à la détourner de

106

Parr, laissant le champ libre pour moi ? J'ai censuré cette pensée en hâte.)

Après une longue hésitation, j'ai écrit :

Salut Ned,

Merci pour ton message. Moi aussi, je me suis beaucoup amusée au bal. Décrocher les anciens proviseurs de Forefield me paraît un peu au-dessus de mes forces. Par contre, l'idée pourrait tenter Ashleigh. Mais s'il te plaît, protège-la des dindons-garous !!!! Son adresse est : sirashleigh@hotmail.com. (N'oublie pas d'écrire son prénom avec « eigh » à la fin, sinon les messages ne lui arriveront jamais.)

J'ai ajouté les mots : « S'il te plaît, transmets mes amitiés à Parr ». Puis je les ai effacés, restaurés, re-effacés et changés par un sobre « Bonjour à Parr ». J'ai effacé et restauré cela aussi à plusieurs reprises ; pour finir, j'ai remis « S'il te plaît, transmets mes amitiés à Parr », signé le message et j'ai cliqué sur [envoyer].

Mardi matin, au lendemain du lundi férié commémorant le débarquement de Christophe Colomb, quoique toujours d'humeur maussade, j'étais enfin assez calme pour jouer la comédie et prétendre que tout allait bien. J'ai retrouvé Ashleigh à la cantine.

– Ah, te voilà ! s'est-elle écriée, toute excitée, en se glissant sur la chaise à côté de la mienne. Pourquoi ne m'as-tu pas rappelée ? Amy ne t'a-t-elle pas transmis mon message ?

– Quel message ?

107

– Oh, quelle horrible vipère ! Qu'on la mette derrière des barreaux ! Ça ne m'étonne pas d'elle. Je lui avais pourtant précisé que c'était capital. J'ai reçu un mail de Tu-sais-qui.

– Qui ? Ned ?

– Ned ! Fi ! Comme ton esprit et ton cœur sont pleins de ce Ned ! Non, de Parr, bien sûr.

Mon sandwich (une des succulentes spécialités d'Amy : un sandwich aux légumes poêlés au pesto) a subitement pris un goût de terreau dans ma bouche.

– Ah, bon ? Qu'est-ce qu'il racontait ?

– Qu'il était content que nous soyons bien rentrées – je lui avais écrit aussitôt, comme convenu. Il a disserté sur son expérience du kendo, sport qu'il m'a recommandé, le qualifiant d'exercice adapté à une demoiselle active. Il m'a transmis les amitiés de plusieurs des gentlemen avec qui nous avons dansé. Il m'a également adressé des compliments sur mon style, louant mon « approche unique du quadrille ». À ton avis, qu'est-ce que cela signifie ? Crois-tu qu'il éprouve une tendre inclination pour moi ?

Dans l'ensemble, j'étais tentée de répondre que oui. Pourtant je craignais que dans son enthousiasme, Ashleigh confonde de délicates attentions avec une émotion plus intense. Mais je n'étais sans doute pas très objective.

– Je pense que c'est bon signe, ai-je dit prudemment.

– Vraiment ? Oui, j'en suis sûre ! Oh, et il m'a priée de te saluer de sa part.

Yvette et Yolanda nous ont rejointes et la conversation a dévié vers des sujets d'ordre plus général, tels que l'impossibilité d'obtenir un rôle dans *West Side Story*, le spectacle monté par le lycée, à cause de la concurrence des Michelle Jeffries et autres Cordelia Nixon pour qui l'audition n'était qu'une formalité – une occasion de vérifier que leur cote de popularité ne baissait pas.

Après la classe, Ashleigh voulait disséquer le message de Parr dans ses moindres subtilités mais j'ai décliné l'invitation en prétextant des devoirs. Je me suis dépêchée de rentrer chez mon père. Pour une fois, l'I.C. était d'une humeur sombre, voire mélancolique, qui coïncidait bien avec la mienne, et elle m'a laissée tranquille. Pendant des heures, j'ai équilibré des équations de chimie, mémorisé des conjugaisons françaises et tenté d'anticiper l'opinion de Mme Nettleton sur la mort de Tybalt, le cousin de Roméo. En entamant la leçon d'histoire (un chapitre sur les armes et la stratégie militaire européennes au Moyen Âge), je n'arrivais plus à me concentrer. Le sujet me rappelait trop Ashleigh et Parr.

J'ai vérifié mes e-mails encore une fois et voilà ce que j'ai lu :

De : Parr, Grandison <cparr@forefield.org>
Envoyé : mar. 09:45
À : julielefk@hotmail.com
Objet : aide-moi à les arrêter

Chère Julia,
Ton amie Ashleigh m'a communiqué ton adresse, j'espère que ça ne te dérange pas ?
J'ai été soulagé d'apprendre que Zach Liu vous avait ramenées

109

chez vous en un seul morceau. Ou en deux morceaux, devrais-je dire, puisque vous êtes deux.

Je suppose que toutes les chaussures sont arrivées à bon port aussi ?

Je passe sans transition à l'objet de mon message.

Je présume qu'Ashleigh t'a parlé du plan que Ned et elle sont en train d'échafauder pour revoir la décoration de la Grand-salle ? Est-il possible que tu persuades Ashleigh d'y renoncer ? Ned a déjà des ennuis pour avoir posé dans les toilettes des micros reliés aux haut-parleurs. Waters l'a dans le collimateur. S'il continue ses bêtises, j'ai peur qu'il perde sa bourse.

J'ai essayé de le dissuader de mon côté mais il ne veut pas décevoir Ashleigh. Peux-tu l'arrêter ? Elle est vive et persévérante, je le vois bien, mais je crois que tu es quelqu'un de raisonnable et qu'elle t'écoutera.

Je suis heureux que vous soyez venues au bal le week-end dernier. Je ne me suis jamais autant amusé à un événement organisé par Forefield. Si seulement vous pouviez aussi vous incruster en cours, j'attendrais même les cours de trigonométrie avec impatience.

Bien à toi,
C. Grandison Parr

Je sentais les battements de mon pouls dans ma gorge. À force de lire et de relire le dernier paragraphe, j'ai failli en oublier le sujet du message. Il était heureux de m'avoir vue au bal ! Il irait avec plaisir en trigonométrie si je l'accompagnais !

Enfin... si nous l'accompagnions, moi *et Ashleigh*. Il

110

était ravi d'avoir dansé avec moi *et Ashleigh*. En étudiant son mail avec attention, je me suis aperçue qu'il n'était question que d'Ashleigh en fin de compte. Il a sans doute ajouté une phrase sur moi après coup, et encore pour mieux souligner son admiration pour mon amie si déterminée et pleine d'entrain.

Dans son esprit, j'étais la fille raisonnable.

Très bien. Dans ce cas, Julia Lefkowitz, me suis-je dit : sois raisonnable.

Cher Grandison,

J'aimerais pouvoir t'aider, sincèrement. Mais au cours de mes dix années d'amitié avec Ashleigh, je n'ai réussi à lui faire abandonner qu'un seul projet : sauter du toit avec des ailes en papier mâché. Je l'ai convaincue d'essayer avec sa poupée en premier. Quand elle a vu la tête complètement fracassée de sa pauvre Arabella, elle a refusé de me parler pendant dix jours. Et après cela, la première chose qu'elle m'ait dite, c'est que plus jamais elle ne m'écouterait. Et elle a tenu parole.

As-tu tenté de la convaincre toi-même ? S'il y a quelqu'un qui peut lui faire entendre raison, c'est toi. Je sais qu'elle t'admire et qu'elle te respecte.

À moins que tu n'inventes un stratagème pour inciter Waters à fermer la porte de la salle à triple tour pendant un moment ?

Désolée de ne pas être plus utile. Tu nous as sauvées de Waters la semaine dernière et je regrette de ne pas pouvoir te rendre la pareille.

Bien à toi,

Julia Lefkowitz

J'ai relu le message, effacé la phrase évoquant l'admiration et l'estime d'Ashleigh de peur de trahir la confiance de mon amie (« ou de donner des idées à Parr », a grincé une petite voix à l'intérieur de ma tête) et j'ai cliqué sur [envoyer].

Chapitre 9

*Rumeurs concernant l'existence de rivales. – L'auteur abandonne
la partie... – ... pour en joindre une autre. – Une communication
surprenante de Mme Gould. – Une communication choquante
de Mme Lefkowitz. – Ashleigh s'y met aussi. – Retour à la raison.*

Avez-vous déjà tenté d'éviter votre meilleure amie, la
fille qui connaît tous vos secrets (sauf un), qui ne vous
quitte jamais pendant ses heures de loisir et qui est
capable de se matérialiser à votre fenêtre à n'importe
quelle heure du jour et de la nuit, avec des feuilles de
chêne dans les cheveux et un sourire confiant sur les
lèvres ?

Si vous répondez par l'affirmative, vous devinez
alors combien les jours qui ont suivi ont été pénibles
pour moi.

Ashleigh voulait que je lise et que j'interprète chaque
mail que Parr lui envoyait – et elle en recevait des tonnes.
Elle ne se lassait jamais de les éplucher en traquant des
indices sur ses sentiments, ni d'imaginer des ruses pour
le rencontrer en chair et en os.

– Julia ! Viens lire ceci, j'ai besoin de tes lumières, m'a-
t-elle dit une après-midi alors que j'étais assise sur son lit
en train de faire mes devoirs de maths.

– Qu'est-ce que c'est ?

– Un message fort troublant... Je ne sais qu'en penser, ma chère Julia.

– Encore un mail de Parr ? Écoute, Ash... je ne suis pas censée les lire, ils te sont adressés personnellement.

– Ma très chère Julia, je n'ai aucun secret pour toi, tu le sais bien ! De toute façon, le message vient de Samantha Liu.

– Ah, d'accord.

Penchée au-dessus de son épaule, j'ai découvert le texte suivant sur l'écran de l'ordinateur :

Salut Ashleigh,

Je t'ai cherchée partout : lis ce qui suit. Tu as ruiné ma réputation ! Je te tiendrai au courant si j'entends quoi que ce soit d'autre.

Sam

>Alors, comme ça, ta « copine » veut tout savoir sur Grandison Parr, hein ? Je n'aurais jamais cru qu'il serait ton genre de mec : il n'est pas un peu trop romantique pour toi ? Il écrit de la poésie, quand même ! D'après mes sources chez Mlle Wharton, c'est un excellent choix. On le compare même au... comment s'appelle le machin après lequel tout le monde vole au quidditch ? Le Vif d'or ? Malheureusement, on raconte qu'il sort avec une grande blonde. Je n'ai pas pu identifier ta rivale, mais il pourrait s'agir d'Emily Wardwell ou de Kayla Thwaite. On les a vues en sa compagnie au dernier bal de Forefield. Désolée ! Mais ne désespère pas. Je te défendrai contre toutes les Whartasses, si blondes et grandes soient-elles. Puis-je espérer une récompense ? Tu pourrais peut-être m'obtenir un

*rendez-vous avec ce jeune homme délicieux qui te sert de
frère... ?*

Je plaisante... en quelque sorte.

– Ben quoi ? ai-je dit.

– Qu'en penses-tu ? Crois-tu que ce soit vrai ?

– Je n'en sais rien, Ash. Qu'est-ce que tu en penses,
toi ?

Au fond de moi, égoïstement, j'espérais que c'était la
vérité. Je préférais cent fois avoir une Whartasse pour
concurrente que ma meilleure amie. Au moins, on pourrait partager notre cafard en toute complicité.

Mais Ashleigh s'est très vite consolée : son enthousiasme s'accompagne d'une solide dose d'optimisme.

– Eh bien, spontanément, je me fierais volontiers à
Miss Liu, dont nous n'avons jamais pris l'intelligence en
défaut. Cependant, nous ne disposons d'aucune infor-
mation sur le jugement de son amie – dont nous igno-
rons d'ailleurs jusqu'au nom. Je reconnais bien là la
discrétion naturelle de Samantha. Peut-être ces « sources »
se méprennent-elles ? Le dernier message de Parr me
semblait très encourageant. Écoute ceci : « J'ai appris
que Julia et toi vous étiez beaucoup amusées en
cueillant des pommes le week-end dernier. Comme
j'aurais aimé être là ! » N'est-ce pas le signe qu'il est
épris de moi ?

Ces conversations me rendaient si malheureuse que
je les évitais à tout prix. Mais le sujet étant incontour-
nable, j'ai fini par fuir Ashleigh.

115

Son béguin pour Parr a eu au moins une conséquence positive : elle a renoncé à faire l'andouille avec Ned à Forefield. Je l'ai appris par un mail de Ned en personne, qui me reprochait sa volte-face. Parr a commis la même erreur et m'a remerciée. J'ai répondu au mail de Ned par un message poli mais bref, et je n'ai pas du tout réagi à celui de Parr, même si j'en mourais d'envie. Je ne pouvais pas me laisser embarquer dans une correspondance, même innocente, avec le chéri d'Ashleigh. Après quelques messages restés sans réponse, il a cessé de m'écrire.

Je me suis jetée à corps perdu dans les devoirs, le moyen le plus efficace pour m'abrutir. Je me sauvais à l'aube, bien avant le lever d'Ashleigh, pour me balader à vélo ou crapahuter dans les collines au milieu d'arbres toujours plus dénudés. Je passais de longues heures à travailler dans la réserve des Trésors d'Helen ou à mettre de l'ordre dans l'inventaire et les comptes de maman sur son ordinateur. Enfin, la mort dans l'âme, j'ai rejoint l'équipe – ou l'équipage, comme dirait Mme Nettleton – de *Voile vers Byzance*, le magazine littéraire du lycée.

L'amiral Nettleton m'a confié le poste de rédactrice adjointe. Depuis ce jour, elle s'est mise à me sourire en classe. Mon père était fou de joie. Il faisait pleuvoir sur moi des petites boulettes d'orgueil paternel, comme un écureuil en train de décortiquer des noisettes au-dessus de ma tête.

– Je suis content que tu commences à t'intéresser sérieusement à ton cursus universitaire, disait-il, rayonnant. Amy va être très fière.

Quand Ashleigh m'a fait part de son étonnement, j'ai menti (une nouvelle habitude assez pénible pour moi) en affirmant que papa avait menacé de me priver d'argent de poche tant que je n'aurais pas signé pour le magazine. Elle a généreusement offert de me tenir compagnie. J'ai répondu que je me sentirais encore plus misérable de lui imposer une corvée pareille.

Mais je n'avais pas besoin de ça pour souffrir. Le pire, c'était la solitude. Quoique très entourée, je me sentais complètement isolée. Mon amie, la seule personne qui me comprenait vraiment, me manquait ; pourtant, en sa présence, j'avais l'impression d'être plus seule que jamais.

Tôt un soir, alors que je contemplais depuis mon lit le dessin formé par les branches du chêne (il m'évoquait des barreaux entrelacés entre moi et le paradis), j'ai entendu toquer à la porte.

– Tu es là, chérie ? m'a demandé maman.

– Oui, entre.

– Il fait si sombre ici ! Pourquoi tu n'allumes pas la lumière ? Non, laisse si tu préfères... Écoute, il faut que je te parle.

Elle s'est assise en face de moi et a replié ses jambes sous ses fesses.

– J'ai remarqué que tu n'étais pas toi-même ces dernières semaines et je crois savoir pourquoi.

– Ah bon ?

Aurais-je trahi mon secret ? Un fourmillement d'anxiété

a parcouru mes membres en même temps qu'une douce vague d'apaisement m'envahissait, comme si un nœud venait de se desserrer. J'ai senti les larmes me monter aux yeux. Maman a passé un bras autour de mes épaules et m'a caressé les cheveux.

– Je suis désolée, mon lapin. Je suis vraiment désolée. Je sais que c'est dur pour toi depuis que ton père est parti. L'argent manque cruellement et pourtant, tu ne te plains jamais. Tu es tellement mature ! Mais tu n'as pas à tout porter sur tes petites épaules couvertes de taches de rousseur. C'est moi la maman, ici. Ma chérie, je te promets que tout va s'arranger. Je ne vais pas nous laisser mourir de faim. Et je ne veux pas non plus rester dépendante de ton père. La boutique ne marche pas aussi bien que je l'aurais souhaité, alors j'ai décidé de chercher du travail. Non, écoute. J'ai déjà reçu quelques offres. Comme elles ne correspondaient pas exactement à ce que je souhaitais, j'ai préféré attendre au cas où j'entendrais parler de quelque chose qui me plairait vraiment. Dans l'idéal, j'aimerais enseigner les arts plastiques. Cela dit, je peux faire plein de trucs. Ne te tracasse pas. D'accord, chérie ? Chut, chut, allons... Là, ça va mieux ? Je ne voulais pas t'en parler avant d'avoir signé un contrat, mais tu m'as parue si tendue que je me suis dit qu'il valait mieux en discuter dès maintenant.

Je passais tour à tour par des accès de soulagement et des bouffées d'angoisse ; mes émotions allaient, venaient et s'entrecroisaient comme des danseurs de quadrille.

118

Ouf, mon secret était bien gardé ! Un sursis ! Mais quelle déception aussi de ne pas être délivrée de ma solitude.

Je me suis essuyé les yeux et j'ai repris mon sang-froid.

– C'est génial, maman.

Amy en a rajouté une couche. Mardi, elle m'a coincée derrière la machine à coudre pendant que je faisais mes devoirs de maths.

– Je sais pourquoi tu es si triste ces jours-ci, mon chou, et ça me chagrine beaucoup. Je comprends que tu sois affreusement déçue au bout de tant d'années, surtout après avoir consacré tout ce temps à préparer la chambre avec moi. J'aurais aimé avoir une bonne nouvelle à t'annoncer. Mais je te promets que ton père et moi, on fait notre possible. Je suis sûre que ça marchera tôt ou tard.

– Ah bon ?

Je ne voyais pas du tout à quoi elle faisait allusion, mais j'avais un très mauvais pressentiment.

– Oh, oui. Après avoir perdu le bébé, on est allés voir un autre spécialiste de la fertilité à New York. Il a déjà fait ses preuves auprès de couples dans notre situation.

Je l'ai dévisagée. De quoi parlait-elle ? Quel bébé ?

– Nous suivons ses instructions à la lettre – ce qui n'est pas désagréable, je dois l'admettre, a-t-elle ajouté avec un sourire de sainte-nitouche qui m'a retourné l'estomac. Le bon côté des choses, c'est qu'en attendant de retomber enceinte, je peux t'aider à porter tes affaires jusqu'à ta nouvelle chambre au sous-sol. As-tu déjà choisi la couleur ? J'envisage de repeindre cette pièce en jaune clair, puisque nous ne connaissons pas encore le sexe du bébé. Ce serait joli, non ? J'ai toujours pensé que le jaune se mariait avec tout. Et si on peignait une frise de canards au pochoir sur le mur ? Qu'en dis-tu ? Ou des étoiles au plafond ?

Je suis restée muette un long moment. L'I.C., trop occupée à réfléchir à l'emplacement de la table à langer et du berceau en osier, n'a rien remarqué. Perdre d'un seul coup mon statut de fille unique et ma chambre claire et spacieuse (malgré la machine à coudre) ! Être bannie au sous-sol ! Voilà pourquoi elle avait vidé cette minuscule cellule en bas – pas pour reléguer sa machine à coudre à la cave, pour m'y reléguer, moi !

Et pourquoi mon père s'était-il mis en tête d'avoir un deuxième enfant alors qu'il ne trouvait même pas le temps de parler à celui qu'il avait déjà ?

Ashleigh m'a interceptée jeudi matin alors que je sortais par ma fenêtre pour un footing matinal.

– Attends, Jules ! a-t-elle lancé en descendant par les branches pour me retrouver au pied de l'arbre. Il faut que je te parle.

Oh ! non, elle n'allait pas s'y mettre aussi !

– Qu'est-ce qui se passe, Julie ? Tu vas bien ? J'en suis presque à me demander si tu m'évites. J'ai fait une bêtise ?

J'étais dévorée de remords. Ma meilleure amie était tombée du lit tellement elle s'inquiétait pour moi. Elle

prenait même sur elle de parler normalement, abandon-
nant pour un temps sa langue austenienne de haute
volée. Elle se blâmait, alors que j'étais la seule coupable.
J'ai pris la ferme décision de réagir. Mes bouderies
devaient cesser. Je n'allais pas sacrifier une amitié de
toute une vie pour un garçon à qui je n'avais parlé
qu'une fois.

– Je suis désolée. Je suis odieuse. Évidemment que ce
n'est pas ta faute. C'est à cause d'histoires de famille, ce
genre de trucs. Pardon, je ne voulais pas passer mes nerfs
sur toi.

Ashleigh m'a regardée avec attention.

– Ce genre de trucs, hein ? Je crois que je connais le
problème. C'est Ned, n'est-ce pas ? Tu es déprimée parce
qu'il est loin de toi. Je sais exactement ce que tu ressens.
J'aimerais retrouver Parr, moi aussi. Les mails, c'est bien,
mais ça ne suffit pas. Si seulement on pouvait se voir en
chair et en os ! Sous son apparence fière, son port altier
et son physique athlétique, se cachent des trésors de gentillesse et de force, un tempérament doux associé à une
grande virilité...

C'était reparti. Elle a continué sur sa lancée pendant
un long moment, en ôtant les brindilles accrochées à son
pyjama, pendant que je me forçais à l'écouter et à
sourire.

Chapitre 10

Ce qu'en pense Samantha.
– Rencontre avec un pirate. – Monologues.
– Deuxième visite à Forefield. – Un désastre.

Où se trouvait Samantha pendant cette période de grand désarroi ? Depuis que ses entraînements de gymnastique avaient repris le mardi, pile aux heures où j'avais le plus de chances de la croiser, nous ne nous voyions plus beaucoup. Dans mes pires moments, j'hésitais à la traquer et à déballer tous mes problèmes à ses pieds, mais au bout du compte, je me dérobais toujours. Ma douleur était trop vive.

Et puis nous nous sommes retrouvées pour la réception organisée par les docteurs Lefkowitz et Liu à l'occasion d'Halloween. On pourrait penser que deux pédiatres choisiraient une autre date pour divertir chaque année leurs jeunes patients. Mais cette fête a beau être macabre, elle n'en demeure pas moins populaire. J'imagine qu'une partie du charme vient du fait que, s'ils le voulaient, papa et Dr Liu pourraient remplacer le ketchup par du vrai sang.

Nous nous sommes aidées à enfiler nos déguisements. Elle était en train de redresser d'un geste ferme la plume tombante sur mon chapeau cloche quand elle a lâché :

– Allez, souris un peu, Julie. Je sais ce que tu ressens mais franchement, il n'y a pas de quoi avoir le cœur brisé.

De surprise, j'ai failli en lâcher mon bol de seringues en gélatine.

– De... de quoi tu parles ? ai-je bredouillé.

Oh, non, Sam aussi ! Pourquoi tout le monde se mettait subitement à projeter ses états d'âme sur moi ?

– Je parle de gentils princes aux cheveux blonds enfermés dans un certain château au sommet d'une colline. Ça vaut pas le coup de pleurer. Le monde est grand. Même Byzance est immense. La ville regorge de garçons si tu en veux absolument un. Pas la peine de t'attacher à un seul type qui n'est même pas disponible. À moins que tu aimes te faire du mal, bien sûr.

Sam me donne la chair de poule. On dirait qu'elle est capable de lire dans les pensées.

Je n'ai pas eu le temps de répondre qu'Ashleigh a débarqué. Elle m'a tirée à l'écart pour arranger les citrouilles de façon à imiter les effets de lumière des candélabres du début du dix-neuvième siècle. Puis les autres invités sont arrivés et elle a délaissé la décoration pour leur expliquer qu'elle était Jane Austen – « Jane Austen, l'écrivain » – et pas une sorcière, ni un fantôme ni Martha Washington.

Sam avait-elle raison ? Est-ce que je me complaisais dans la mélancolie ? C'était le meilleur moment de l'année pour se morfondre, avec les rafales d'automne qui charriaient des nuages menaçants et collaient des feuilles mortes gorgées de pluie aux genoux des passants. J'ai décidé de m'inspirer des remarques de Sam.

Le lendemain soir, Ashleigh et moi sommes allées à la soirée d'Halloween organisée par Emily Mehan. Là-bas, j'ai dragué Seth Young, un camarade de cours d'anglais et directeur de la rédaction de *Voile vers B*. Il portait un costume de pirate, ce qui le rendait presque potable. Le bandana rouge sur son crâne donnait à son teint olivâtre un éclat inhabituel et sa chemise de corsaire flottante étoffait un peu sa silhouette squelettique. Un bandeau sur l'œil complétait le tableau romantique. J'ai remarqué pour la première fois qu'il avait un joli nez. Mais sa prétention transparaissait à chaque instant sous son personnage de pirate fanfaron et sans-cœur. Quand il a posé son bras sur moi dans l'arrière-cour des Mehan, je m'en suis débarrassée d'un haussement d'épaules. Le conseil de Sam pouvait sembler judicieux mais le cœur n'y était pas.

La mère d'Ashleigh est venue nous chercher avant qu'il ait l'occasion de retenter sa chance. Ça m'a évité de lui infliger un râteau définitif, suivi de plusieurs mois d'embarras lors des séances du comité de rédaction de *Voile vers B*. Une réunion était justement programmée le lendemain à l'heure du déjeuner. Il s'est assis à côté de moi mais ne m'a pas regardée dans les yeux une seule fois. Son visage gardait des traces de maquillage, surtout d'eyeliner, ce qui m'a beaucoup perturbée. Quand la sonnerie a retenti, j'ai filé en vitesse afin de couper à une conversation. Il s'est levé comme pour me suivre, mais il a évidemment changé d'avis en voyant Ashleigh à la sortie de la salle de Mme Nettleton.

– Il faut que tu voies ça ! s'est-elle écriée.

Elle m'a attrapée par le coude et m'a entraînée dans les escaliers jusqu'au panneau d'affichage du rez-de-chaussée. Les jumelles Gerard étaient en train de le scruter, l'une avec un air tout excité (j'ai présumé qu'il s'agissait de Yolanda), l'autre avec un intérêt modéré (très probablement Yvette).

– Regarde ! m'a ordonné Ashleigh avec un grand geste en direction du tableau.

– Quoi ?

Les chevelures perlées des jumelles bouchaient mon champ de vision.

– Il y a des auditions, m'a-t-elle expliqué d'un ton joyeux.

– Des auditions ? Et alors ?

– C'est pour la comédie musicale de Forefield !

– Forefield, tu commences à piger ? a dit Yolanda. C'est une école pour garçons. Donc il y aura peu de candidates pour les rôles féminins. Donc pas de Cordelia Nixon, ni de Michelle Jeffries, puisqu'elles sont déjà dans *West Side Story*. À part nous, qui va s'y intéresser dans ce bahut ? Je parie que si on se pointe, on a pratiquement un rôle d'office, et pour peu qu'on chante un peu juste, on deviendra des stars. Top ! Alors, tu veux décrocher le rôle de l'héroïne ? a-t-elle demandé à sa sœur.

Yvette a secoué la tête.

126

– Non, toi, prends-le si tu veux. Moi, je me contenterai de la place la plus importante, a-t-elle répondu.

– C'est-à-dire ? Celle du héros ? Ils ont des tas de garçons sous la main, sosotte. Et pour la mise en scène, c'est marqué ici : « Mis en scène par Benjamin Seward ».

– Non, sosotte : je parlais du public.

Je partageais la position d'Yvette. Jouer dans une pièce (une comédie musicale, en plus) était une perspective terrifiante pour quelqu'un d'aussi timide que moi. D'autant que ce plan comportait un gros risque de croiser Parr dans des circonstances gênantes. Si seulement Ashleigh voulait bien me laisser toute seule chez moi à ruminer !

Et puis en y réfléchissant, j'ai fini par penser que voir Parr et Ash ensemble me ferait du bien au bout du compte. Il fallait cautériser la plaie pour stopper l'hémorragie. J'en suis presque venue à espérer une rencontre avec Parr : une petite voix séduisante me murmurait que cela m'aiderait sûrement à franchir le cap.

Un problème en chassant un autre, il nous fallait à présent trouver des monologues convenables pour nos auditions.

Bien entendu, Ash a d'abord pensé au passage où Darcy demande sa main à Elizabeth, celui qui commence par : « En vain ai-je lutté. Rien n'y fait. Je ne puis réprimer mes sentiments. Laissez-moi vous dire l'ardeur avec laquelle je vous admire et je vous aime. »

127

Malheureusement, après vérification dans le livre, il s'avère que c'est aussi sur ces mots qu'il se termine. Jane Austen écrit qu'il « s'engagea aussitôt dans l'aveu de l'inclination passionnée que depuis longtemps il ressentait pour elle », mais sans rapporter ses paroles. La scène se poursuit par un dialogue entre l'orgueilleux héros et l'héroïne offensée – fort intéressant pour les lecteurs, mais sans intérêt pour un jury d'audition.

Nous avons envisagé puis rejeté plusieurs alternatives, telle que la lettre de Mr. Collins annonçant sa visite à la famille Bennet, ou les hurlements scandalisés de Lady Catherine de Bourgh en apprenant qu'Elizabeth pourrait devenir sa nièce par alliance. Malheureusement, ces scènes étaient soit trop courtes, soit incompréhensibles en dehors de leur contexte.

– Le problème, c'est que c'est un roman, ai-je argumenté. On ferait mieux de chercher un extrait de pièce de théâtre ou de film.

– Nulle pièce n'est plus dramatique que les œuvres de la géniale Miss Austen, a-t-elle répliqué avec dédain.

– Allons quand même faire un tour au vidéoclub ; ça nous donnera peut-être des idées, ai-je insisté.

J'ai eu droit à la désormais célèbre Lueur de Folie.

– Ma chère Julia, je crois que tu as trouvé la solution ! Peut-être un dramaturge ou un scénariste aura-t-il comblé les vides laissés par Miss Austen ?

Nous avons loué trois adaptations différentes d'*Orgueil et préjugés*. Après avoir beaucoup débattu, rembobiné, calé, rembobiné, Ash a choisi la version de la demande en mariage interprétée par Colin Firth, dont elle a griffonné une transcription.

Moi, j'ai opté pour la tirade de Mercutio sur la reine Mab dans *Roméo et Juliette*. Elle est extraite d'une scène où Mercutio, mon personnage préféré, taquine sans pitié son cousin Roméo. Il attribue la distraction de Roméo, qui vient de tomber amoureux, à une visite de la reine Mab, la fée des rêves. Je l'ai prise parce que je la connaissais déjà presque par cœur, ayant rédigé un article à son sujet pour l'amiral Nettleton. Cela ne m'empêchait pas de penser, comme Yolanda, que cette pièce était aussi stupide que sublime. Toute cette tragédie inutile ! Si Roméo et Juliette avaient seulement pris la peine de se parler, personne ne serait mort.

En plus de m'épargner un gros effort de mémorisation, ce texte présentait l'avantage d'avoir été écrit par Shakespeare. Par conséquent, il était très difficile à déclamer pour une fille du vingt-et-unième siècle et encore plus dur à suivre pour un auditeur du même siècle. Même si je refusais de saboter exprès mon audition, j'espérais secrètement échouer grâce à la complexité de mon monologue. Alors je ne serais pas forcée d'être le témoin de l'histoire d'amour naissante entre ma meilleure amie et mon amour perdu.

Mme Gerard nous a emmenées à l'audition, Yolanda, Ashleigh et moi. Tandis que la voiture gravissait le chemin en lacets en direction de Forefield, j'ai senti mes tripes danser un quadrille – et ce n'était pas à cause des cahots du véhicule.

– M..., les filles ! nous a lancé Mme Gerard en nous déposant devant le Centre des Arts de la Scène R. McNichol Robbins, derrière le bâtiment principal du lycée.

Nous avons poussé les lourdes portes en bronze et suivi la signalisation à l'intérieur du théâtre.

Un groupe s'était formé près de la scène. La lumière d'un projecteur jetait des reflets brillants dans la chevelure claire d'une silhouette grande et mince. Mon quadrille abdominal s'est transformé en meeting de gymnastique. Mais quand le garçon s'est retourné, j'ai constaté qu'il n'était pas celui que j'espérais et craignais de voir à la fois.

Une voix masculine a retenti à l'autre bout de la salle :

– Ashleigh ! Julie !

Le concours de trampoline a repris jusqu'à ce que je réalise qu'il s'agissait du timbre de basse de Ned. Il a remonté l'allée centrale en quelques bonds pour nous accueillir.

– Vous avez pu venir ! Suivez-moi : Benjo et Madame Wilson sont là-bas.

Ashleigh lui a présenté Yolanda puis nous l'avons accompagné en direction de la scène. À part une créature livide en uniforme du Sacré-Cœur, nous étions les seules filles.

– Eh, c'est Erin du Sacré-Cœur ! s'est exclamée Yolanda en courant la saluer.

Chris Stevens, le grand fauve du bal, était à moitié affalé à côté d'Erin. Il m'a adressé un clin d'œil en me voyant arriver. Des lycéens de toutes les tailles se donnaient des coups de poing, tournaient en rond ou répétaient leurs monologues, seuls dans un coin. Certains nous dévisageaient du coin de l'œil.

Il s'est avéré que Benjo était le grand type châtain responsable de ma crise de tachycardie quelques instants auparavant. Au bout d'une minute ou deux, une alarme a résonné au loin et de nouveaux acteurs en herbe, dont une collégienne du Sacré-Cœur, nous ont rejoints. Benjo a réclamé le silence.

– Bon, on va commencer. Je suis Benjamin Seward. C'est moi qui vais mettre en scène *L'Insomnie d'une nuit d'hiver*, une comédie musicale originale de Barry Devison, avec des chansons écrites par Grandison Parr et composées par Ned Downing. Là-bas, c'est Barry ; à côté, Ned ; et Parr... Oh, il doit être à son cours d'escrime. La plupart d'entre vous connaissent déjà Monsieur Barnaby, qui dirige le club théâtre, et Madame Wilson, notre prof de musique.

Il a désigné un homme chauve et barbu, au torse large et aux oreilles proéminentes, ainsi qu'une femme toute menue aux cheveux tirés en arrière et noués en chignon sur la nuque.

– Quand je vous appellerai, s'il vous plaît, vous montez sur scène et vous donnez votre partition à Tyler au piano. D'accord ? Alcott Fish.

Un petit garçon s'est présenté et s'est raclé la gorge

avant d'interpréter « You're a Good Man, Charlie Brown » dans une belle tessiture de soprano ; ensuite, il a récité un extrait de la comédie musicale en question et il s'est rassis. Les quatre metteurs en scène ont échangé leurs points de vue à voix basse avant de convoquer le candidat suivant.

Au fil des prestations, j'ai eu le temps d'imaginer plusieurs scénarios catastrophe : je tombais de la scène, j'oubliais mon texte, je changeais de tonalité au milieu de ma chanson, je m'évanouissais, j'étais prise d'un fou rire hystérique ou je me mettais à crier « Au feu ! » de façon compulsive. Au choix. Pour finir, j'ai tenté de me calmer en récitant mon texte en boucle dans ma tête.

Quand le tour d'Erin est arrivé, je me suis arrêtée et je lui ai accordé toute mon attention. À ce moment-là, les vers de Shakespeare commençaient sérieusement à perdre leur sens. Elle a chanté « My Favorite Things » avec la douceur sirupeuse et la mièvrerie requises ; son texte, un extrait de *La Ménagerie de verre*, était très bien articulé, sur un ton tout aussi sincère et mielleux.

Ensuite nous avons écouté un lycéen superbe, au teint sombre et à la magnifique voix de baryton. Après quelques concurrents couci-couça et deux jeunes garçons assez doués, ça a été à Yolanda de se lancer. Sa chaude voix d'alto, étonnamment sensuelle pour quelqu'un de son âge, a fait forte impression dans « Too Darn Hot », une chanson de la comédie musicale *Kiss Me, Kate*, et son monologue extrait d'*Un raisin au soleil* m'a émue presque aux larmes.

132

Ashleigh aussi s'en est très bien tirée, avec une interprétation puissante et juste de son single préféré des Pulls Mouillés, suivie d'une interprétation puissante et passionnée de la demande en mariage de Darcy.

Puis ils m'ont appelée. J'ai réussi à monter sur scène sans trébucher et je suis allée tendre ma feuille au pianiste. Après un début correct, des arrière-pensées désagréables ont interféré et gâché ma prestation sur « It's All Right with Me ». La chanson commence par ces paroles : « Je suis au mauvais endroit au mauvais moment ». Comme c'était cruel de vérité ! Quelques strophes plus loin, il est question d'essayer d'oublier un homme en se jetant dans les bras d'un autre. À cet instant, j'ai senti le poids du regard narquois de Chris Stevens. Pourquoi avoir choisi ce titre ? Pourquoi ne pas en avoir pris un autre ? N'importe lequel !

Malgré mon trouble, je suis parvenue à prononcer distinctement les paroles et à rester juste. Soulagée, j'ai attaqué mon monologue de la reine Mab... qui s'est aussi avéré beaucoup plus problématique sur scène que dans ma mansarde rassurante. Je déclamais :

– Les rayons des roues de son char sont faits de longues pattes de faucheux ; la capote, d'ailes de sauterelles...

Pendant ce temps, mon esprit inquiet me soufflait : « Qui a eu l'idée géniale de parler de capote dans une école pour garçons ? » J'ai balayé le public d'un regard méfiant – encore une mauvaise idée. Ashleigh affichait un large sourire encourageant, ce qui n'a fait que m'embarrasser un peu plus. Chris Stevens plissait ses grands yeux fendus de félin. Un garçon mâchonnait le bout de son crayon. Un autre était affalé à cheval sur deux sièges, les paupières closes. Ils avaient l'air de s'ennuyer prodigieusement. Et au fond, comble de l'horreur, se tenait Grandison Parr, beau et radieux, le regard braqué sur moi. Depuis combien de temps m'observait-il ?

J'ai paniqué. Ma voix s'est éteinte. Je me suis précipitée, pressée d'arriver au bout. J'ai marmonné la fin de ma tirade à toute allure, et je me suis arrêtée net après avoir coupé les trois derniers vers (qui sont obscènes, de toute façon). Ensuite, je me suis traînée en bas de la scène et je suis allée m'enfoncer dans un fauteuil de velours poussiéreux à côté d'Ashleigh. J'aurais voulu disparaître à jamais.

Le reste de l'audition a défilé au ralenti, dans une sorte de flou artistique. C'était une véritable torture. Parr est monté sur scène et je suis restée assise, des fourmis dans les membres, les pommettes brûlantes, à m'enivrer de sa voix agréable et assurée. Un millier de chansons et de monologues insignifiants ont suivi. Quand l'audition s'est enfin terminée, il est venu nous voir. Ashleigh l'a accueilli avec chaleur mais j'entendais difficilement ce qu'elle disait tant mes oreilles bourdonnaient. Bien sûr, j'ai été incapable d'articuler deux syllabes de rang. Pendant le trajet de retour, alors qu'Ashleigh et Yolanda discutaient des événements de l'après-midi avec enthousiasme, je suis demeurée inerte, la joue collée à la vitre fraîche de la portière, osant à peine battre des cils, à peine respirer. Le souvenir de mon fiasco m'a tourmentée toute la soirée, avant de hanter des rêves agités. J'en suis presque venue à espérer que mes joues enflammées par la honte embrasent mon drap et mettent un terme à mes malheurs dans un incendie spectaculaire.

Chapitre 11

Distributions des rôles. – Textes, vers et chansons.
– Un horrible papillon de nuit répugnant.
– Où il est question de rivalité artistique.
– Une scène affreusement trompeuse
dans laquelle intervient un canapé.

Après la catastrophe de la veille, j'ai préféré faire un long détour pour me rendre à mon cours de sciences sociales en première heure plutôt que de passer devant le panneau d'affichage. Je n'avais aucune envie de voir la liste des personnes retenues au casting dans laquelle mon nom ne figurait pas. C'est vrai, j'avais à moitié espéré que je raterais mon audition ; mais espérer échouer est une chose, échouer pour de bon en est une autre.

Au bout du compte, mes précautions ne m'ont servi à rien. Pendant le déjeuner, Ashleigh et Yolanda sont arrivées en agitant un papier.

– Bonjour, Madame Lytle, s'est exclamée l'Enthousiaste.

J'ai froncé les sourcils d'un air revêche. Je n'étais pas d'humeur pour les comédies d'Ashleigh.

– Qu'est-ce que tu racontes ?

– Regarde ! s'est écriée Yolanda.

Elle a posé la feuille sous mon nez, à un millimètre d'un gros pâté de moutarde.

– C'est ton rôle. Tu as un « petit » rôle : Madame Lytle, la proviseur. Tu vois ? Moi, je suis Tanya, la déléguée des élèves. J'espère que j'aurai beaucoup de texte ! Ashleigh joue Hermia. On a pensé qu'on pouvait décrocher la feuille vu qu'on est les seules de Byz High à être allées à l'audition. Erin a un rôle aussi : elle fait Helena. Et Emma Caballero, cette fille qui est en troisième au Sacré-Cœur, elle joue Chloe.

– N'est-ce pas une formidable nouvelle ? a dit Ashleigh. Grandison Parr interprète le rôle d'Owen, le capitaine du club débat, et ton tendre Ned étant directeur musical, vous jouirez de fréquentes opportunités de vous entretenir durant les répétitions.

– Oh, tu sors avec Ned ? a repris Yolanda. Cool ! Tu ne me l'avais pas dit. Il a l'air très sympa. J'ai bien aimé le grand avec la belle voix, il est trop mignon. Je me demande s'il a un rôle. C'est forcé, c'est lui qui avait la plus belle voix. À votre avis, c'est lequel ? Kevin Rodriguez ? Ravi Rajan ? Tu pourras demander à ton copain ? Oh, s'il vous plaît, n'en parlez pas à Adam !

Adam White, un élève de première, était parfois l'homme de sa vie.

– Ned n'est pas mon copain, ai-je protesté. Je l'ai juste croisé deux fois.

– Certes, mais tu l'as comparé à Darcy, rappelle-toi ! Ne te fie pas à ses propos, ma chère Yolanda, elle est trop modeste pour déclarer ses véritables sentiments.

– Si tu le dis, ai-je soupiré, agacée.

Depuis quelques semaines, mon état de nerfs ressemblait à des montagnes russes et mon caractère d'ordinaire calme et égal commençait à s'en ressentir.

Comment avais-je pu obtenir un rôle après une prestation aussi médiocre ? Ash et Yolanda prétendaient que j'avais joliment chanté et bien parlé, même si on m'entendait mal sur la fin. Mais je savais qu'elles voulaient me faire plaisir. Non, j'avais juste eu de la veine (ou de la déveine) : cinq filles s'étaient présentées et il leur en fallait cinq. Une sixième candidate, n'importe laquelle, aurait sûrement récupéré le rôle de Mme Lytle.

Nicole Rossi, la mère d'Ashleigh, est allée chercher nos textes à Forefield le soir même, en rentrant du travail.

L'Insomnie d'une nuit d'hiver n'est peut-être pas la pièce la plus débile que j'aie jamais lue, mais pas loin. L'histoire se déroule dans un pensionnat qui évoque celui de Forefield, à cela près qu'il est mixte. L'intrigue s'ouvre sur des micmacs romantiques entre des élèves de première : Sandre (interprété par Ravi Rajan) sort avec Hermia (Ashleigh) ; Daniel (Chris Stevens, dans un rôle sur mesure) essaie de la lui piquer ; Helena (Erin) a le béguin pour Daniel, sans espoir de retour. Pendant ce temps, Owen (Parr), capitaine du club débat, et Tanya (Yolanda), la déléguée des délégués des élèves, se disputent à cause d'un troisième qu'ils essaient de recruter pour leurs activités dont les séances sont programmées au même moment. Le garçon choisit le conseil des élèves au détriment du club. Pour punir Tanya, Owen convainc son petit

frère, Rob (Alcott Fish), un savant fou en herbe, de s'intro-
duire dans le labo de chimie pour créer un philtre
d'amour qu'il donnera à Tanya. Celle-ci tombe alors
amoureuse du ridicule Cabot (Kevin Rodriguez), qui joue
Roméo dans la production lamentable de *Roméo et Juliette*
montée par les collégiens. Par malice, Rob verse ensuite
quelques gouttes de potion dans une fontaine d'eau
potable et Sandre, Hermia, Daniel et Helena entament un
jeu de chaises musicales amoureux que clôt le grand
numéro de danse final.

Moi, je jouais le proviseur, Mme Lytle, qui intervient
de temps à autre pour réclamer l'ordre, réprimander les
petits chenapans et présider au dénouement heureux.
Elle chante aussi un duo avec le doyen de l'établissement,
scène qui donne lieu à l'apparition exceptionnelle du
véritable doyen de Forefield, M. Hanson, dans le spectacle.
En tout, j'avais onze lignes de texte, en plus du duo.

Je craignais que ce ne soit onze lignes de trop.

– J'envie Yolanda ! Oh, comme je l'envie ! répétait
Ashleigh en écrasant Juniper.

Le chaton a fini par lâcher un couinement indigné.

– Elle a plus de chansons, mais ton texte est plus long,
ai-je fait remarquer.

– Fi ! Qui se soucie du texte et des chansons ? Ce sont
les baisers que je lui envie ! Elle va embrasser Grandison
Parr !

– Et toi, tu embrasseras Ravi Rajan. C'est bien lui que
Yolanda trouve si mignon ? Je parie que tu vas te laisser
emporter au point d'oublier Parr.

Elle m'a décoché le fameux regard de Reproche Mêlé de Dégoût.

– Oublier Grandison Parr ! Autant me demander d'oublier mon propre nom, mon père, ma mère, ma langue maternelle, les points cardinaux ! J'oublierai ce que signifie être humaine avant d'oublier Grandison Parr !

Quant à moi, j'espérais réussir la prouesse inverse : chasser Grandison Parr de mon esprit avant de devenir inhumaine.

Je m'y suis employée avec acharnement. Comme je le voyais au moins deux fois par semaine aux répétitions, il m'était impossible de le supprimer de ma mémoire. Mais peu à peu, mon cœur s'est endurci, telle une ampoule percée qui se transforme en cal. Au bout d'un moment, j'arrivais à lui sourire, à lui répondre par des phrases avec sujet, verbe et complément, et même à soutenir son regard.

La première répétition a été la plus pénible. Sa présence me paralysait. J'ai dû rassembler toute ma détermination pour écouter le metteur en scène et me concentrer sur la dispute entre mon personnage et le doyen, un homme beaucoup trop clément au goût de Mme Lytle. À un moment, Benjo me demandait de taper du pied et de m'orienter face à la salle. Au début, je gardais les yeux rivés sur le panneau de sortie. Et puis un jour, j'ai trouvé le courage de regarder les spectateurs. Après une semaine ou deux, je me suis habituée au public.

Parler à Parr réclamait encore plus de bravoure, mais je ne pouvais pas l'éviter. Même si Ashleigh et moi partagions peu de scènes avec lui, il mettait un point d'honneur à rechercher notre compagnie. Le jour de la deuxième répétition, tandis que j'aidais Ashleigh à apprendre son texte, il est arrivé dans mon dos en lançant :

– Salut ! Vous auriez une idée de rime pour Hermia ? Barry n'aime pas « germia », il trouve ce mot dégoûtant. En plus, je ne suis pas très sûr de la conjugaison.

– « Ténia » ? suggéra Ashleigh.

– « Ténia » ? Euh, je n'y avais pas pensé. C'est... une possibilité.

– Oh, Ash, c'est encore pire ! ai-je dit.

– Bon, alors... « malaria » ? Ou « listeria »... Je suis certaine que Julie va nous trouver quelque chose. N'est-ce pas, Julie ? Après tout, c'est ton domaine. Julie écrit de la poésie, vois-tu, a-t-elle annoncé à Parr.

Il s'est tourné vers moi d'un mouvement vif.

– C'est vrai ?

– Oh, Ash..., ai-je marmonné. Très peu, et puis c'est nul de toute manière.

– Comment cela, « nul » ? s'est révoltée mon éternelle admiratrice. Et ce magnifique poème que tu avais rédigé en cinquième, où tu décrivais un coucher de soleil et...

J'ai réagi aussitôt, avant qu'elle ne se mette à réciter un de mes premiers essais laborieux. Elle adore le style fleuri de mon œuvre de jeunesse.

142

– Je sais ! me suis-je écriée. Pourquoi pas : « hypothermie. Ah ! » ?

– Génial ! C'est parfait, Julia, merci ! s'est exclamé Parr en s'avançant comme pour me prendre dans ses bras.

Étonnée, j'ai eu un mouvement de recul réflexe et son geste s'est arrêté à mi-course. Il a continué de me sourire. Ses dents étaient très blanches. J'aimais sa façon un peu solennelle de s'adresser à moi par la forme classique de mon prénom : cela me donnait l'impression d'être une version plus noble de moi-même.

– Ne t'avais-je pas dit qu'elle songerait à quelque chose ? On peut toujours compter sur Julie, a déclaré fièrement Ashleigh.

Ces brèves conversations avec Parr constituaient les points culminants de ma semaine. Je passais cependant beaucoup plus de temps avec Ned, qui dirigeait les répétitions musicales et remplaçait mon partenaire souvent absent, le doyen Hanson. Plus je voyais Ned, plus je l'appréciais. Je me surprenais souvent à chanter ses mélodies entraînantes à la maison, et combien de fois ai-je entendu ma mère fredonner « Qui voudrait d'Helena ? » ou « Oh, quelle bande de nigauds ! » ? Son caractère heureux ne gâchait rien. Dans une salle remplie de gros egos (Benjo, Barry, Chris, Erin dans un style plus discret, ou Ravi), Ned passait pour un garçon désintéressé et travailleur. Il me rappelait quelqu'un d'autre, une certaine amie dotée d'une énergie sans borne, loyale et toujours positive : Ashleigh. La plupart des directeurs musicaux

143

auraient perdu patience depuis longtemps avec moi, j'en suis sûre. Ned, lui, n'a jamais cessé de m'encourager.

– C'est très bien, Julie. Ta voix porte beaucoup plus loin aujourd'hui. Tu sens la différence par rapport à la semaine dernière ? Bon, concentre-toi sur la tête de cerf au fond de la salle. Ses oreilles doivent se plaquer contre son crâne quand tu chantes, d'accord ? Formidable ! C'était génial. Maintenant, on va travailler les aigus : tu as tendance à flotter un peu, focalise ton attention là-dessus. Bien fort ! Voilà ! Oui ! Écoute-toi ! O.K., je crois que je t'ai poussée un peu trop loin, là : tu étais un poil au-dessus. Pas « ah », plutôt « ah ». Essaie encore. Bien ! Ashleigh, tu as entendu ça ? Impeccable, Julie, très beau son.

Au début, je dépensais tellement d'énergie, entre le texte à retenir, mon cœur à apaiser et ma voix à contrôler (elle avait encore tendance à se coincer sournoisement entre mes amygdales), que je ne prêtais aucune attention aux autres acteurs. Mais à mesure que je m'habituais au spectacle qui se jouait autour de moi (en dehors du baiser de Parr et Yolanda – ça, je n'ai jamais pu m'y faire), j'ai découvert plusieurs intrigues.

La plus flagrante, parce qu'elle me concernait directement, impliquait Chris Stevens. Le fourbe tentait de s'attirer les bonnes grâces de toutes les filles de l'équipe, à la seule exception d'Emma Caballero qui était vraiment trop jeune, même pour lui. Tel un gracieux insecte, il persistait à bourdonner et à vous harceler, esquivant les gifles avec aisance. Sa technique consistait à planer à proximité en faisant comme si vous étiez intéressée.

– Désolé de ne pas t'avoir consacré beaucoup de temps la dernière fois, Julie, m'a-t-il sorti en pleine séance. J'étais dans la salle des trophées avec Erin – impossible de m'échapper. Je ne veux surtout pas que tu te sentes négligée.

– Oh, non, Chris, ne t'inquiète pas, ai-je répondu. Au contraire, n'hésite surtout pas à me négliger : ça me fera des vacances.

Je me suis vite rendue compte que c'était la mauvaise réponse. Chris aimait les défis. Plus la fille résistait, plus cela le stimulait. Il me rappelait un monstrueux papillon de nuit excité par des phéromones. Je savais tout sur les phéromones depuis l'époque où Ashleigh se passionnait pour les insectes. Chris voletait tranquillement près de moi en battant de ses grandes ailes translucides et en allongeant ses antennes velues. Beurk !

La méthode de Yolanda, qui consistait à le traiter avec une patience cordiale et désinvolte, donnait de meilleurs résultats.

– Oh, Chris, pardon, je ne t'avais pas vu ! Décidément, je n'arrête pas de te bousculer ! Je t'ai fait mal au pied ? Eh, c'est toi qui m'as téléphoné hier soir ? Pardon, je voulais te rappeler. Je ne t'ai pas oublié, je te jure ! C'est juste que j'avais beaucoup de devoirs, après j'ai bavardé avec Ravi, et ensuite il était tard et... De toute façon, ils vous obligent à couper les portables après dix heures, non ?

Sa gentillesse et son insouciance le maintenaient, sinon à distance, au moins au-delà d'un périmètre de sécurité de cinquante centimètres.

Ashleigh l'étourdie ne réagissait pas à ses avances puisqu'elle ne les remarquait pas. En revanche, la pauvre Erin n'y était que trop sensible. Au fil des semaines de répétition, elle avait développé pour lui un amour fervent. Chris la torturait en l'ignorant la plupart du temps ; il lui accordait juste assez d'attention pour entretenir sa flamme tout en flirtant avec d'autres filles dès qu'elle l'observait.

– Où est Chris ? a-t-elle demandé une après-midi. On est censés travailler la scène où je lui file les réponses de l'évaluation de maths.

– La dernière fois que je l'ai aperçu, il était avec Yolanda, a dit Ashleigh. Il parlait de lui montrer la salle des trophées.

Erin s'est raidie.

– Je vais le chercher.

Elle est partie à pas pressés. Kevin Rodriguez et le petit Alcott Fish se sont mis à ricaner.

– Qu'est-ce qui vous fait rire ? s'est enquise Ashleigh.

Alcott a rosi.

– Ben, tu sais... la salle des trophées, quoi ! Avec les canapés et tout ? a insinué Kevin.

– Et alors ?

Alcott est devenu cramoisi et Kevin a levé les yeux au ciel.

– Oh, grandissez, les gars, a grommelé Ravi. C'est l'endroit où les couples vont pour... pour avoir un peu d'intimité.

Parmi les acteurs, les plus doués étaient sans conteste Ravi, Alcott et Kevin. Ce dernier possédait un incroyable génie comique. En Cabot, le garçon mal dégrossi qui tenait le rôle de Roméo dans la pièce à l'intérieur de la pièce, il surjouait avec une telle maîtrise que jamais il n'allait trop loin dans l'excès. Il incarnait une version caricaturale de Chris Stevens, assez subtile pour que l'intéressé n'y voie que du feu, mais assez grosse pour que le reste de la troupe se torde de rire. Yolanda en rajoutait en s'inspirant d'Erin dans son portrait de Tanya qui se languissait d'amour – mais imperceptiblement, soit qu'elle le fasse sans s'en rendre compte, soit par charité envers sa vieille copine.

Ravi était beau, sensuel et doté d'une voix suave comme le miel. Quel bonheur de le regarder et de l'écouter ! Je comprenais l'attirance de Yolanda. Ashleigh avait de la chance que son cœur soit déjà pris, sans quoi elle aurait succombé à son charme dès leur premier baiser sur scène et je l'aurais retrouvée dans le même triste état qu'Erin. Quoique conscient de l'effet qu'il produisait chez les filles, Ravi ne cherchait pas à en abuser. Il recevait l'admiration comme un dû et la récompensait par une attention amicale, comme pour vous féliciter de cette preuve de bon goût.

Benjo, le metteur en scène, et Barry, le dramaturge, entretenaient des relations sous haute tension. Le second assistait aux répétitions et n'hésitait pas à exprimer ses opinions très arrêtées sur la façon dont nous devions déclamer son texte chéri. La petite Emma avait une propension à glousser de manière intempestive. Incapable d'enrayer cette manie, Benjo avait choisi de s'en servir pour souligner la bêtise des collégiens et la nullité de leur *Roméo et Juliette*. Mais Barry ne le supportait pas.

– Arrête de glousser ! aboyait-il à cette pauvre Emma dès qu'elle avait le malheur d'ébaucher un sourire, ce qui ne manquait pas de lui provoquer une crise.

– Je ne p... je ne p... je ne peux pas... m'en empêcher ! bafouillait-elle.

Un jour, Benjo a craqué.

– Barry, arrête de perturber mes comédiens ! Merde ! Elle va s'étrangler à cause de toi.

– Tes soi-disant comédiens sapent ma pièce. Tu ne peux pas les contrôler ? a riposté Barry en s'approchant.

– C'est toi qui as besoin de te contrôler. Maintenant, tu nous fous la paix, s'il te plaît !

– Hors de question que je vous laisse seuls avec mon texte !

Les deux garçons avaient serré les mâchoires et les poings. Ils allaient en venir aux mains d'un instant à l'autre. Heureusement, Parr est intervenu.

– Eh, Barry, tu as une seconde ? J'ai réécrit le refrain de « Reine de la glace » et j'aimerais avoir ton avis.

Benjo continuait de fusiller Barry du regard. J'ai décidé de détourner son attention aussi.

– Benjamin, je peux te poser une question ? Tu crois que je devrais sortir pendant que le doyen chante, ou attendre la fin de la chanson ?

Il a paru agacé par cette interruption, mais Parr m'a gratifiée d'un coup d'œil reconnaissant.

Mon rôle étant anecdotique, je disposais de longues minutes pour observer les tragédies qui se déroulaient en coulisse. Quand je ne répétais pas mes scènes, j'essayais de me rendre utile en tournant les pages pour le pianiste, en récupérant des accessoires ou en soufflant le texte à mes camarades. J'ai fini par connaître les phrases de Yolanda par cœur avant elle.

Avais-je tort de suivre ses répétitions avec Parr ? Peut-être, mais je n'arrivais pas à m'en aller et ils semblaient trouver ma présence utile. Alors je me suis infligé la vue de leurs baisers, encore et encore.

Un jour que j'assistais Ned lors d'une séance de travail sur la scène de la fontaine, Alcott s'est débarrassé de sa pipette pleine de philtre d'amour avec un peu trop d'ardeur. Elle s'est brisée. Il a bondi en arrière.

– Eh, je croyais que c'était du verre Securit !

– Il valait mieux qu'elle se casse maintenant que pendant le spectacle, a dit Ned. Il faut trouver quelque chose de plus solide. Du plastique ou du métal.

– Pourquoi pas une de ces coupes de mariage à deux anses ? ai-je suggéré pour plaisanter. Il y en a plein dans la salle des trophées.

– Une coupe de mariage pour les amoureux ! Julie, c'est une idée géniale. Attendez ici, je reviens tout de suite.

Parr, qui aidait Benjo à chorégraphier la grande scène de bagarre entre Daniel et Sandre, l'a vu filer.

– Oh, non, Ned, pas ça ! Vite, que quelqu'un l'arrête !

– Pourquoi ? a demandé Alcott. Où il est parti ?

– À la salle des trophées, forcément. Si Waters le chope là-bas en train de piquer un trophée, c'en est terminé de sa bourse.

– J'y vais, ai-je proposé.

Je me sentais un peu coupable. Je pensais être capable de retrouver le chemin de la salle, bien que je n'y aie pas remis les pieds depuis le bal. Au bout du compte, il m'a fallu un bon moment pour me repérer dans les couloirs. Quand je suis enfin arrivée, Ned était perché sur le dossier d'un canapé en cuir vert, en équilibre sur la pointe des pieds, à essayer de forcer une vitrine avec un rapporteur.

J'espérais que le rapporteur allait céder avant la vitrine, mais l'inverse paraissait plus probable.

– Ned ! Ne fais pas ça !

– Oh, Julie ! Viens me donner un coup de main, d'accord ? J'y suis presque.

– Arrête, Ned, tu vas casser la vitrine !

– Mais non, mais non...

Elle a commencé à pencher dangereusement. J'ai sauté sur le dossier pour le pousser avant que le meuble lui tombe sur la tête. Le canapé a chancelé sous notre poids, nous avons dérapé sur le cuir et nous avons atterri l'un sur l'autre sur le siège. Heureusement, la vitrine est restée à sa place.

150

– Julie, ça va ?

– Aïe !

– C'est ta jambe, ça ? Désolé ! Pourquoi tu m'as empêché de finir ? J'y étais presque !

Il a voulu se relever mais je l'ai retenu par le cou et les épaules.

– Non, Ned ! Pense à ta bourse !

– Pense au spectacle !

Tandis qu'il se tortillait pour se libérer, la porte s'est ouverte. Ashleigh et Erin ont fait irruption.

– Oh ! Jul... Ned... Pardon, on ne voulait pas vous déranger.

– Ash, attends ! ai-je hurlé en voyant mon amie se sauver à toute vitesse.

Quand je suis enfin parvenue à raisonner Ned et à me dépêtrer du canapé, elle avait regagné le théâtre depuis longtemps.

L'épisode de la salle des trophées a brisé tous mes espoirs de convaincre Ashleigh que mes sentiments pour Ned se bornaient à de l'amitié.

– J'essayais juste de l'empêcher de voler une coupe. Il voulait s'en servir comme accessoire, ai-je insisté.

Sans succès. Même moi, je ne me serais pas crue.

– Tu peux demander à Parr, c'est lui qui m'a dit d'y aller, ai-je ajouté, à bout d'arguments.

– Vraiment ? Auraient-ils échafaudé ce stratagème ensemble ? À l'évidence, Ned se confie à Parr beaucoup plus volontiers que tu ne m'ouvres ton cœur. Non, non,

151

ne dis pas un mot de plus ! Loin de moi l'idée de t'arracher une confidence contre ton gré. Mais si je me trouvais à ta place, tu sais bien que je te dirais tout.

– Ash, je te le jure : il n'y a rien à raconter.

– Parce que nous vous avons interrompus.

– Non, parce qu'il ne se passait rien. Qu'est-ce que tu venais fabriquer là, au fait ?

– Erin cherchait Chris et Kevin nous ayant appris ton départ pour la salle des trophées, j'ai pensé que tu aurais peut-être besoin de protection. Comme j'étais loin de m'attendre à ce que j'allais découvrir ! La prochaine fois, mets-moi dans la confidence et je garderai la porte pour vous.

Chapitre 12

*Les notes de l'auteur se maintiennent. –
M. Lefkowitz rouspète. – Nouvelle apparition
du dindon ! – Suite des répétitions.*

Avez-vous remarqué qu'en général, une fois que les profs ont une idée dans la tête, il est plus facile d'arrêter tout un bus scolaire en train de beugler « C'est à bâbord qu'on gueule, qu'on gueule... » que de les faire changer d'avis ? Voilà pourquoi, si vous disposez d'un temps limité pour vos devoirs, il vaut mieux vous concentrer sur le début de semestre. Dans ce cas, la plupart des professeurs vous rangeront d'emblée dans la catégorie des bons élèves et chercheront moins la petite bête par la suite.

Entre *L'Insomnie* et *Voile vers B.*, les créneaux que je réservais à mes devoirs s'étaient considérablement réduits. Mes notes, à l'inverse, avaient grimpé. Mes B+ s'étaient remplumés pour devenir des A–, et mes A– s'étaient transformés en A tout court. On pourrait penser qu'une telle situation satisferait mon père. Non : il estimait que sur ces deux activités extrascolaires très prenantes, il y en avait une de trop.

– Il faut donner l'impression d'être complet, pas dispersé, a-t-il affirmé. Si tu disposais de plus de temps pour étudier, tu pourrais effacer tous ces moins de tes bulletins de notes.

Laisser tomber le magazine littéraire était tentant, mais pas très raisonnable. En me mettant dans les bonnes grâces de l'amiral, je m'épargnais des heures de travail à la maison. Quant au spectacle, même si je rêvais à moitié de l'abandonner, je ne pouvais pas décemment lâcher les autres. J'ai tenté de convaincre papa que j'avais plein de temps pour moi depuis le début de la morte-saison aux Trésors d'Helen.

Amy a levé les yeux au ciel lorsque j'ai rappelé les activités de maman. Ce qui ne l'a pas empêchée de prendre ma défense.

– Julie fait les choses jusqu'au bout, Steve. Les facultés apprécient cette qualité.

Elle s'est même proposée de me conduire ou de me récupérer au théâtre de Forefield les mardis soirs.

Un mardi, donc, vers la mi-novembre, elle m'a déposée avec une demi-heure d'avance avant de rencontrer un client. Il faisait chaud pour cette époque de l'année. J'ai déboutonné mon manteau et je me suis assise sur les marches du Centre des Arts de la Scène en attendant Benjo ou M. Barnaby, qui étaient les seuls à avoir les clés.

Malheureusement, Face-de-Dindon les a précédés. Quand il m'a aperçue, son visage est devenu tout rouge. Enfin, encore plus rouge.

– Qu'est-ce que vous fichez ici, jeune fille ? Vous ignorez que c'est une école pour garçons ?

– J'attends Benjo Seward. Il...

– N'essayez pas d'impliquer Benjamin Seward ! Il ne ferait jamais entrer une fille en cachette sur le campus. C'est un jeune homme responsable. Il connaît le règlement.

Pendant qu'il me réprimandait, la tête de Grandison Parr est apparue derrière son épaule.

– Bonjour, Julia !

Face-de-Dindon a fait une pirouette et s'est trouvé nez à nez avec Parr.

– Je le savais ! a-t-il glouglouté. Non seulement votre petite amie a pénétré illégalement sur le campus, mais elle essayait de rejeter la faute sur Seward !

– Mais Julia est...

– Taisez-vous ! Un mot de plus et je vous colle trois avertissements ! Suivez-moi chez le doyen.

Ils nous a pris chacun par une épaule et nous a fait marcher au pas jusqu'au bâtiment de l'administration.

La porte du doyen Hanson était entrouverte. Il a levé les yeux de son ordinateur.

– Comment ça va, Matthew ? Oh, bonjour, Julie ! Et bonjour, Grandison. Que puis-je pour vous ? J'ai répété, je vous assure. Écoutez plutôt :

> *Vous voulez me forcer à être sévère,*
> *Mais je ne céderai pas à l'arbitraire,*
> *À mes yeux, la carotte vaut toujours mieux que le bâton.*

Et j'ai répondu en chantant le couplet suivant :

Mon cher doyen, vous êtes trop gentil
Quand il s'agit de vos polissons chéris.
Ce qu'il leur faut pourtant, c'est une bonne leçon.

– Tip top, Julie ! Ça sonne très bien ! s'est écrié le doyen.

– Vous... vous connaissez cette fille ? a bafouillé Face-de-Dindon.

– Bien entendu : c'est la proviseur Lytle.

– Proviseur ? *Proviseur* ?

– Absolument, la meilleure que je connaisse. Elle est très supérieure à mon doyen. C'est vrai qu'elle répète beaucoup plus. Vous avez l'air déconcerté, Matthew. *L'Insomnie d'une nuit d'hiver*, voyons ! La comédie musicale, mon vieux, la comédie musicale ! Qu'est-ce qui se passe ? Un problème ?

– Eh bien, non... Non, pas si vous connaissez cette fille. J'imagine que vous savez ce que vous faites. Pardonnez-moi. Je ne voudrais pas me mêler de ce qui ne me regarde pas.

Sur ces mots, Face-de-Dindon a tiré sa révérence.

Nous avons tous les trois attendu que la porte se referme avant d'éclater de rire.

– J'ai l'impression que Matthew partage l'avis de Madame Lytle ! Il a tort : c'est vous qui êtes trop indulgents avec moi. Je vais suivre le conseil de Barnaby et assister à plus de répétitions. Allons, filons au théâtre.

– C'est vrai qu'aucune fille n'a le droit de pénétrer sur le campus ? ai-je demandé tandis que nos chaussures crissaient sur le gravier de l'allée.

– Non ! Matthew vous a dit ça ? Techniquement, les non-inscrits ne sont pas autorisés à rentrer sauf circonstances exceptionnelles (jouer le rôle de la proviseur dans la pièce de l'école, par exemple). Et par définition, dans une école pour garçons, les filles ne peuvent pas faire partie des inscrits... Mais il n'y a aucune clause dans le règlement intérieur concernant la présence de filles ici. Matthew a tendance à exagérer un peu. Il est... euh... passons... Alors, Grandison, que penses-tu des chances des Dents de Sabre contre Groton cette saison ?

– Je suis un peu inquiet. Les Sabres devront faire face à une concurrence très sérieuse. Groton a recruté Dashwood ; ça leur donne un gros avantage par rapport à l'an dernier. On ne peut pas lui reprocher d'avoir demandé son transfert – les écoles mixtes, c'est tentant, a affirmé Parr en me jetant un coup d'œil en biais. Cela dit, j'aurais préféré qu'il attende une année de plus. Bloom et Coe vont devenir redoutables, mais il leur manque encore pas mal d'heures d'entraînement.

Les perspectives des Dents de Sabre nous ont occupés sur tout le trajet. Au théâtre, le reste de l'équipe nous attendait avec impatience. Ned a été enchanté de voir le doyen, dont la présence allait me permettre de travailler, pour une fois. Nous avons répété notre duo d'arrache-pied.

– C'est bien, Julie, tu as trouvé le ton, m'a félicitée Ned. Tu peux même aller plus loin dans le ressentiment. Lâche-toi sur le sol aigu, quitte à couiner. Monsieur

Hanson, votre expression penaude est parfaite. Si vous trouviez un peu de temps pour apprendre votre texte, ce serait encore mieux.

Quelques camarades désœuvrés sont venus admirer nos progrès.

– Oh, ma très chère Julia, magnifique ! Magnifique ! s'est emballée Ashleigh. Et vous aussi, doyen, bravo ! Julia, quelle chance que Monsieur Hanson réunisse ces qualités qui rendent son personnage si insupportable aux yeux de la proviseur. Cela doit grandement te faciliter la tâche. Pour ma part, je trouve très malaisé d'afficher la juste dose de colère vis-à-vis de Sandre, Ravi étant la bonté personnifiée.

– Merci du compliment, mais ça ne t'a pas empêchée de m'allonger une bonne baffe, a commenté Ravi en se frottant la joue.

– C'est l'enthousiasme naturel d'Ashleigh, a dit Ned. Elle se laisse emporter.

– En tant que comédienne, j'ai le devoir de donner un semblant d'authenticité à la scène, s'est-elle défendue. Si cela peut te réconforter, sache que j'ai giflé Chris encore plus fort. Puisque nous parlons de lui, une âme charitable pourrait-elle secourir Yolanda ? J'ai vu Chris la suivre à la régie.

– Pas moi, ai-je dit. Sinon il faudra envoyer quelqu'un d'autre pour me délivrer à mon tour.

– J'y vais, s'est proposé Parr. J'allais chercher Yolanda pour répéter de toute façon.

Le rendez-vous d'Amy s'est prolongé. Une fois toutes les « non-inscrites » parties, je me suis retrouvée seule avec Parr et Ned. Ils se sont assis à côté de moi sur le perron du Centre des Arts de la Scène. La rivière rose du crépuscule s'est tarie dans le ciel et un vent froid s'est levé. Parr s'est décalé d'une marche pour m'abriter des bourrasques.

– Pourquoi tu es à Forefield si tu préfères les lycées mixtes ? lui ai-je demandé.

– C'est une tradition familiale. Mon père, le père de mon père, le père du père de mon père, et tous les autres avant eux, sont allés à Forefield, depuis la création du pensionnat, à l'époque où il n'y avait que cinq élèves et un proviseur horrible. Tu savais qu'il s'était fait bannir d'Angleterre pour avoir tué un cheval en duel ? L'homme qu'il affrontait a survécu mais pas sa monture. Il faut croire que c'était un cheval très important.

– L'arrière-arrière-arrière-arrière-grand-père de Parr, autrement dit son arrière-arrière-arrière-arrière-grand-Parr, apparaît sur la frise sculptée au-dessus de la cheminée dans la Grand-salle. C'est celui qui est complètement à gauche avec les grandes oreilles. Il a beau essayer de les cacher sous son chapeau, elles dépassent.

– Eh, Linotte, arrête de te payer la fiole de mes ancêtres, tu veux ? a grogné Parr en faisant semblant de mettre une calotte à son copain. Bref, papa aurait eu le cœur brisé si je n'étais pas allé à Forefield. Nous ne sommes pas toujours sur la même longueur d'ondes, mon père et moi. Je pense que je le décevrai bien assez

tôt. Autant le laisser gagner certaines batailles maintenant, avant que les choses sérieuses commencent... Heureusement, grâce à la pièce, la proportion de filles a
nettement augmenté cette année, a-t-il conclu d'un ton
plus léger.

– Et toi, Ned ? Ça ne te pèse pas trop qu'il n'y ait que
des garçons ici ?

– Oh, je n'irais pas jusqu'à dire que j'aime ça, mais
je ne me plains pas. Au moins, j'ai une bourse. Apparemment, l'arrière-arrière-grand-père de Grandison, ou
de je ne sais qui, avait décrété que le gramophone nuisait à la société en permettant aux gens d'écouter des
disques plutôt que d'apprendre à jouer d'un instrument. Alors il a décidé d'accorder des bourses aux musi-
ciens. Le seul problème, c'est que je n'ai pas le droit
d'enregistrer de disque tant que je suis à Forefield, ni
même d'en écouter.

– Pas de disque ? me suis-je exclamée. Pas de CD, rien ?
Comment tu peux supporter ça ?

– En fait, le conseil d'administration estime que la
règle ne concerne que les vieux trucs qui existaient à
l'époque où la bourse a été créée, comme les disques
mous ou les 78 tours. Du coup, il n'y a aucun souci avec
le digital.

– Ça ne risque pas d'être mon aïeul, a glissé Parr. Tu
imagines mon père, mon grand-père ou Charlie Feuille-
dechou en personne accorder une bourse pour faire de la
musique ? En revanche, ce serait assez le style de papy de
s'assurer qu'un musicien n'ait pas le droit d'écouter de

la musique. Il a une conception assez étroite de ce qui est sérieux et de ce qui ne l'est pas. Mon père aussi, mais il est moins vicieux.

– Mon père est un peu comme ça aussi, ai-je soupiré. Il n'arrête pas d'insister pour que je prenne des activités extrascolaires en vue de mon inscription à la fac, et après, il me reproche d'avoir moins de temps pour mes devoirs.

– C'est pour ça que tu as passé l'audition ?

– Oui, un peu... beaucoup.

– Remercions nos pères, alors. Sans eux...

C'est au moment où Parr allait révéler pourquoi il était si reconnaissant envers nos papas qu'Amy est arrivée en klaxonnant. Il m'a ouvert la portière. Amy, qui fait grand cas de la courtoisie, lui a adressé un sourire grimaçant. Sur la route, je n'ai pas cessé de m'interroger sur ce qu'il voulait dire.

Chapitre 13

Mme Gould jette l'éponge. – Thanksgiving. –
Dindes et dindons en pagaille. – Une crise d'identité.
– Où quelqu'un récolte ce qu'il a semé.

Quand je suis rentrée de l'école le lendemain, ma mère remballait les articles d'Halloween et sortait la marchandise de Noël.

– On ne fait pas ça après Thanksgiving d'habitude ? lui ai-je demandé.

Elle a sorti un père Noël en étain de sa boîte, puis elle s'est assise sur les talons et m'a regardée d'un air grave.

– Bonjour, chérie. Je me suis dit qu'on avait intérêt à profiter du passage des vacanciers pour le week-end de Thanksgiving. Je n'ai toujours pas décroché le job de mes rêves, alors je vais travailler pour Nick-Nack. Ils ne paient pas très bien mais au moins, c'est stable et j'aurai la sécurité sociale. Ils veulent que je commence tout de suite après Thanksgiving.

– Oh, maman, je suis désolée.

Nick-Nack, une chaîne sans âme et de mauvais goût dont la boutique (ou plutôt le Hangar) se situait deux villes au sud, était l'éternel rival des Trésors d'Helen.

163

– Pas moi. Ne sois pas si morose. C'est en attendant de trouver mieux. Et puis ça pourrait être pire. La directrice du magasin est sympa ; elle me laisse décorer les vitrines et j'ai le droit de garder ma boutique ouverte le week-end. Tu veux bien m'aider avec les cartons ?

– Bien sûr. Laisse-moi juste envoyer quelques e-mails d'abord. J'ai promis à Seth et à Eleanor, la rédactrice en chef du magazine littéraire, de leur donner mon avis à propos d'un ou deux poèmes qu'on hésite à publier dans le prochain numéro.

Nous avons à peine eu le temps de mettre le stock de Noël sur les rayonnages que Thanksgiving nous est tombé dessus.

Je ne m'attarderai pas sur ce funeste jour férié passé avec ma belle-mère et sa famille. J'aurais préféré la compagnie de maman, mais on ne m'a pas demandé mon avis : un an chez mon père, un an chez ma mère, telle est la règle. J'y suis allée en vélo. J'enviais presque les dindons sauvages qui s'enfuyaient entre les arbres sur mon passage et disparaissaient dans un bruissement de plumes. Si on m'avait tuée, plumée, rôtie avec du romarin et du citron, et livrée à l'appétit féroce de la mère d'Amy, de son frère coincé, de sa belle-sœur aux yeux de chien battu et de leurs quatre insupportables morveux, aurais-je vraiment passé un pire moment ?

J'admets que le repas était délicieux. Évidemment, puisqu'Amy l'avait préparé. Pas de choux de Bruxelles trop cuits ni de farce indigeste. On nous a servi des légumes croquants, de la courge bien tendre, une sauce maison aux agrumes et à la canneberge, ainsi qu'une dinde à la chair fondante sous sa peau croustillante.

– Amy, quand allez-vous vous décider, Steve et toi, à me faire une petite-fille ? s'est exclamée ma belle-grand-mère en déposant dans son assiette le dernier morceau de blanc. Il ne faut pas compter sur Mark et Susie : ils ne sont bons qu'à fabriquer des garçons.

L'I.C. a pâli. Prenant pitié d'elle, j'ai renversé un peu de sauce sur la chemise de sa mère. La diversion a fonctionné. Derrière la réprimande d'Amy, j'ai perçu un brin de gratitude. Mais mon acte généreux m'a valu les mauvaises grâces de sa famille pour le reste du week-end. J'étais donc doublement contente de rentrer à la maison dimanche, après plusieurs nuits passées à la cave dans ma nouvelle chambre sombre.

À mon retour, j'ai aperçu ma mère sur le toit de la maison voisine, en compagnie d'Ashleigh et de M. Rossi. Ils installaient les décorations de Noël, dont leur éternel papa Noël sur son traîneau. Les Rossi comptent chaque année sur maman pour apporter une touche de fantaisie à leur décor. Pendant la phase arthurienne d'Ashleigh, maman avait déguisé le père Noël en chevalier, et ses rennes en licornes. L'an dernier, elle a donné l'illusion que le traîneau survolait Manhattan en recréant le profil des gratte-ciel à l'aide de guirlandes lumineuses. Quand je suis arrivée, Joe Rossi insistait pour qu'elle façonne les bois des rennes en forme de menorahs, en hommage à notre héritage familial. Elle l'a remercié mais a décliné.

Cette année, papa Noël paraissait beaucoup plus svelte que de coutume. Il portait un haut-de-forme et un habit à haut col.

– Ça rend super bien ! ai-je crié.

– Oh, chérie, tu es rentrée ! Tu as l'air si petite vue d'ici !

– La porte est ouverte. Monte nous rejoindre ! a hurlé Joe.

– Non, c'est bon : on a terminé. Attends-moi en bas, chérie, j'arrive ! Ashleigh, tu m'accompagnes ?

Elles ont disparu par une trappe (j'aurais pu signaler à maman que le chêne offrait un moyen beaucoup plus rapide et facile de rentrer chez nous, mais je me suis abstenue), pour réapparaître dans l'encadrement de la porte d'entrée. Joe, qui était resté perché sur son toit afin de contempler leur œuvre, nous a dit au revoir en agitant la main.

– Que penses-tu de Mr. Darcy en père Noël ? m'a demandé Ash sur le chemin de la boutique. Ned a suggéré de mettre des bonnets aux rennes ; ta mère a essayé mais ils ne rentraient pas à cause des bois.

– Oh, ça représente Darcy ? Tu crois que jouer les pères Noël colle avec son personnage ? À la rigueur, ça pourrait amuser Mr. Bingley.

– Eh bien, soit. Mr. Bingley, si tu préfères. De toute façon, les gens du quartier le prennent pour un héros du *Conte de Noël* de Dickens. Les béotiens ! Comment s'est passé Thanksgiving chez ton père ? La famille de ta belle-mère était-elle présente ? Était-ce affreusement éprouvant ?

166

– Oui, raconte-nous, chérie. Tu t'es bien amusée ? Tu as les baisers de Tati Ruth. Elle m'a passé un manteau neuf qui était déjà trop court pour Molly. Il devrait t'aller. Cette petite pousse encore plus vite que toi ! Oh, et un de tes amis s'est arrêté au magasin mercredi. Il a laissé quelque chose pour toi. Attends une seconde, j'ai dû ranger le paquet dans le bureau.

Elle a farfouillé un moment dans ses papiers et a fini par le retrouver.

– C'était qui ?

– Un beau jeune homme. Il s'est présenté mais j'étais un peu distraite et je ne me rappelle pas son nom. Excuse-moi. Il y avait beaucoup de clients. J'ai vendu tous mes savons à tête de renne.

– À quoi ressemblait-il ? est intervenue Ashleigh. Mesurait-il la même taille que Julia ? Avait-il des cheveux châtain clair et un regard brun profond et expressif ?

– Mmm, possible. Désolée, j'aurais dû le regarder plus attentivement. J'oubliais que vous étiez rendues à l'âge où on aime avoir un maximum de détails sur les garçons.

Nous avons pris un air froissé, Ashleigh et moi, et nous sommes montées dans ma chambre.

– Ça vient de Ned, j'en suis sûre ! s'est écriée Ashleigh en rebondissant comme une folle. Y a-t-il un billet doux à l'intérieur ? Ouvre !

– Non, pas de lettre ; mais il y a quelque chose d'écrit sur le carton : « J'espère que tu n'es pas trop écœurée par les dindons ? Alors voici. Les douces demoiselles méritent

167

bien une douceur de temps en temps. Bien à toi... » Je n'arrive pas à déchiffrer le nom.

– Laisse-moi regarder ! Ce doit être un E... quelque chose... D... Quel est le deuxième prénom de Ned ?

– Je ne sais même pas s'il en a un. Mais ça ne ressemble pas du tout à un E. Je dirais plutôt un C. Chris Stevens ? Tu crois que c'est possible ? Dommage que ça ait bavé.

– Bien sûr que c'est un E ! J'imagine que cette lettre pourrait être un N... N, E et D ?

– Où tu vois un N ? Non, c'est forcément un C ou un G. À la rigueur, un A mal écrit... Sauf que la barre n'est pas fermée à droite. En cherchant bien, on peut lire un E majuscule très bâclé mais un N, jamais.

La boîte contenait un superbe dindon dont le plumage mêlait délicatement trois parfums de chocolat : noir, au lait et blanc.

– Oh ! quelle merveilleuse attention. Et comme le compliment est joliment tourné ! Aucun doute : ce doit être Ned.

– Et si l'expéditeur me traitait de dinde de manière détournée ?

– Balivernes ! Ned ne suggèrerait jamais une chose pareille. Il est trop gentil.

– Pourquoi Ned m'enverrait-il un dindon en chocolat ?

– Oh, Julia, tu prétends l'ignorer ? Les jeunes hommes courtois amadouaient déjà les élues de leur cœur en leur offrant des confiseries du temps du roi Arthur. Quant au dindon, ne cherchons pas midi à quatorze heures : nous sommes en pleines fêtes de Thanksgiving.

Malgré les arguments d'Ashleigh, je restais sceptique. D'abord, Ned était incapable d'orthographier trois mots de suite correctement – en tout cas, pas sur un clavier. Bien entendu, la note était manuscrite, ce qui justifiait l'absence de fautes de frappe. Mais quand même, ça ne correspondait pas à son style. Si ce n'était pas Ned, alors qui ? Chris Stevens, l'Homme qui Dégouline ? L'idée me coupait l'appétit ! Seth Young ? Ou le doyen Hanson peut-être, pour s'excuser du traitement infligé par son collègue-dindon ? Non : maman avait mentionné un garçon. J'ai aussi rayé Zach Liu de la liste : elle l'aurait reconnu. Alors Grandison Parr ? La référence au dindon semblait désigner Ned ou Parr comme les deux seuls expéditeurs possibles. En mordant dans la queue (du chocolat de première qualité), j'ai senti mon pouls s'accélérer. Un effet du sucre, sans doute. Je n'osais plus faire de conjectures. Je craignais que mes espoirs se révèlent aussi creux que le dindon qui se volatilisait sous mes yeux.

Qui que soit le gentil donateur, comment lui exprimer ma gratitude ? Il n'était pas question de rendre grâce à tous les candidats potentiels, sous peine de passer pour une dinde complètement cacaotée.

Après délibération, j'ai envoyé un mail à Ned, à Parr et à Seth, où je les remerciais en termes vagues de leur bonté à mon égard en glissant une référence à Thanksgiving. J'espérais que les deux innocents en concluraient que les fêtes me mettaient d'humeur sentimentale.

Quant au coupable, il lirait sûrement entre les lignes de mon message.

Et si le dindon venait de Chris, il n'aurait qu'à me prendre pour une mal élevée. Il n'obtiendrait rien de ma part. Je ne lui avais pas demandé de me couvrir de dindons. Il ne lui suffirait pas de me gaver de chocolat pour gagner mon estime.

J'ai reçu les réponses suivantes.

De Parr :

Chère Julia,
Quelle délicate attention. Mais tu te trompes : c'est moi, le chanceux. CGP.

De Ned :

joyeux thangsgiving à toi aussi julie. je suis content que toi et ashleigh vous soyez dans notre piece c'est beaucoup plus droel que les autres annees !

De Seth :

Salut, Julie.
Ton message m'a touché. J'espère que tes vacances se sont bien passées et je me réjouis à l'avance de te retrouver à la reprise des cours. Bien à toi, Seth.

Peu concluant, ai-je pensé. Personne ne reconnaissait, ni ne reniait le dindon. Mais au moins, si le mystérieux

170

bienfaiteur se trouvait parmi ces trois garçons, il ne me prendrait pas pour une ingrate.

La routine scolaire a repris son cours. Les évaluations de fin de semestre approchaient et notre délai pour boucler le numéro d'hiver de *Voile vers Byzance* arrivait à échéance. À l'inverse, le travail autour de *L'Insomnie d'une nuit d'hiver* stagnait de façon dramatique, étant donné que les évaluations prenaient une importance encore plus démesurée à Forefield qu'à Byzance High. Il ne nous restait plus qu'une répétition par semaine, « un minimum pour ne pas baisser les bras et avoir encore quelque chose à oublier pendant les vacances », comme l'a résumé Benjo.

Mon rôle était si infime, et mon partenaire si peu présent, que j'en étais réduite à jouer les souffleurs. Je passais mon temps à regarder Ashleigh courir après Ravi et se défendre des accusations de froideur proférées par Chris le Dégoulinant. Ce dernier chantait :

> *Rien qu'une demi-heure passée avec Hermia*
> *Et je me meurs d'hypothermie. Ah !*
> *Elle est la Reine de la Glace.*
> *Je n'en connais pas de plus coriace.*
> *Montez les thermostats à fond !*
> *Sortez les pulls et les édredons.*

Et Hermia de riposter :

Insupportable vipère !
Homme à l'appétit dévorant
Qui veut tout ce qu'il voit
Et plus qu'on ne lui tend –
Mais il n'a rien obtenu... pour le moment.

Lorsqu'elle prononce ces mots, Hermia boit l'eau de la fontaine polluée par le philtre et tombe aussitôt sous le sortilège.

Chaque fois que Chris croisait mon regard, il affichait un affreux sourire obscène.

Je m'accordais régulièrement des pauses au cours de leurs répétitions pour assister aux querelles passionnées de Parr et de Yolanda, puis à leurs réconciliations scellées par des baisers. Une torture.

Un jour, peu avant les vacances, alors que nous étions en route vers Forefield dans la voiture du père d'Ashleigh, Yolanda m'a paru étonnamment silencieuse. Elle n'a presque pas participé à notre conversation sur le numéro de danse qui précédait l'apothéose du spectacle (je le trouvais trop énergique ; Ashleigh, pas assez).

– Ça va, Yolanda ?

– Oui, oui.

– Tu as l'air un peu abattu.

– Abattu ? Oh, euh... non, je pensais juste à autre chose. De quoi vous parliez ?

– La fin. Trop molle ? Trop hystérique ?

172

– Elle me plaît telle quelle. Elle est... dynamique, sans l'être trop, si vous voyez ce que je veux dire. Bref, ça me semble bien. Pour un finale.

Yolanda a parfois tendance à parler avant de réfléchir, mais de là à produire des commentaires aussi incohérents... J'ai commencé à me poser des questions.

Une fois au théâtre, je me suis concentrée sur mon texte et j'ai tout oublié de cette discussion. Et puis, tard dans l'après-midi, je suis allée aider Yolanda et Parr qui répétaient seuls dans le studio de danse à l'étage, pendant qu'Alcott, Ashleigh, Ravi, Chris et Erin travaillaient leur grand numéro d'amants jaloux sur scène. Je remplaçais Alcott qui avait une ou deux phrases à dire au milieu de leur dialogue.

À ma grande surprise, Yolanda avait des trous. Méfiante, j'ai vérifié ses cheveux. La veille, elle ne portait que des perles vertes au bout de ses tresses, et sa sœur des rouges. Aujourd'hui, des perles vertes couvraient ses cheveux des pointes jusqu'aux racines. Si les jumelles avaient inversé les rôles, elles s'étaient donné beaucoup de mal pour brouiller les pistes.

Les perles ont cliqueté quand mon amie a renversé la tête pour le baiser de la réconciliation. J'ai tiqué, comme toujours, mais je me suis forcée à regarder.

– Tu n'es pas Yolanda, hein ? a lâché Parr.

Elle a feint la surprise.

– Alors qui je suis, à ton avis ?

– La fameuse sœur jumelle, peut-être ?

– Qu'est-ce qui te fait croire ça ?

– Yolanda n'embrasse pas pareil que toi. Un baiser en dit long.

La jumelle a hésité avant d'admettre la vérité dans un soupir.

– Gagné, je suis Yvette.

– Je m'en doutais ! me suis-je écriée. Tu t'es montrée si réservée dans la voiture. Où est Yolanda ?

– Elle est privée de sortie.

– Ah bon ? Pourquoi ?

– Cette idiote a commandé des dessous sexy sur internet, soi disant par erreur (comme si on pouvait commander de la lingerie sexy par erreur !), et ma mère a reçu la facture. Elle est punie pour deux semaines. Elle avait peur de perdre le rôle si quelqu'un s'en apercevait pendant les répètes. Tu ne vas pas nous dénoncer, hein ?

J'ai secoué la tête.

– Bien sûr que non. Tu devrais le dire à Ashleigh avant qu'elle le devine. Elle ne vous trahira jamais.

– Oui, je voulais vous en parler, mais Yo préférait attendre pour voir si vous alliez le remarquer toutes seules. Parr, on peut compter sur toi ?

– Évidemment. Quitte à ce que Yolanda soit remplacée, j'aime autant que ce soit par toi. Comment tu connais le texte ?

– Je l'ai appris en aidant ma sœur à réviser. Merci, les copains. Elle sera soulagée.

– Je ne pige pas, Yve. Je croyais que tu détestais monter sur scène ?

– Ouais, c'est vrai. Je la retiens. Elle m'en doit une !

174

– Voilà une belle preuve de solidarité familiale, a affirmé Parr. Si on reprenait après le baiser ?

En dehors de Parr, d'Ashleigh, de moi et de Ned, à qui Ash a tout raconté en lui faisant promettre d'être discret, personne n'a noté que l'actrice interprétant Tanya avait changé. La permutation a néanmoins entraîné une conséquence tragique. Chris le Dégoulinant a rejoint Yvette dans la salle des accessoires où elle rangeait des éprouvettes. Il en est ressorti au bout de quelques secondes en glapissant.

– Que lui as-tu fait, Yve... Yo ? s'est écriée Ash.

– Ma sœur aurait dû réagir depuis longtemps. Elle est trop gentille. Je m'en suis occupée à sa place.

Elle a refusé d'en dire plus.

Chapitre 14

Méditations sur la gent masculine. – Un rendez-vous.
– Ashleigh à la rescousse. – De pénibles louanges.

Si on m'avait dit à la rentrée que je deviendrais une tombeuse, je ne l'aurais pas cru. Mais quand Seth Young a appelé trois soirs de suite en décembre et que maman a commencé à parler de « mes amoureux », j'ai été forcée de reconsidérer la chose.

– Il n'y a pas de « mes amoureux », maman. C'était juste Seth qui voulait les solutions du devoir de maths.

– Ah oui ? Et hier, qu'est-ce qu'il voulait ?

– Comment tu sais qu'il a appelé hier ? Tu n'as pas fouiné dans ma boîte de réception au moins ?

– Je ne ferais jamais une chose pareille ! a-t-elle répondu d'un air offensé. S'il téléphone pendant que nous sommes dans la voiture, je peux difficilement l'ignorer.

– Puisque tu as tout entendu, tu peux répondre à ta question. Il m'a demandé si j'avais fini de lire la nouvelle d'Alex la Folle pour le magazine littéraire du lycée.

– Et le jour précédent ?

– Oh, maman ! Franchement, tu sortirais avec Seth, toi ?

– Je n'en sais rien, chaton. Je ne le connais pas. À moins que ce soit le beau garçon qui t'a offert le dindon en chocolat ?

Je n'avais toujours pas résolu le mystère du dindon en chocolat, pour ma plus grande frustration.

– Je n'ai aucune idée de qui a apporté le dindon. Ça pourrait être plusieurs personnes. Tu ne m'as pas vraiment donné de description détaillée.

– Tu vois ! Qu'est-ce que je disais ? Plein d'amoureux ! s'est exclamée maman d'un ton triomphal.

En comptant Ned, Chris le Dégoulinant, Seth et Parr, y avait-il matière à donner raison à maman ? Non, pas à mon sens. Quoi que prétende Ashleigh, j'étais convaincue que Ned n'éprouvait rien pour moi. Chris me poursuivait de ses assiduités, mais il courait après tout ce qui portait une jupe. Quant à Seth, rien n'était plus naturel pour lui qu'appeler une camarade avec laquelle il partageait plusieurs cours et de nombreuses obligations littéraires.

En ce qui concernait Parr... Mes sentiments contradictoires embrouillaient mes pensées. Son comportement galant, taquin et chaleureux lors de notre première rencontre, avait évolué vers plus de réserve. Je sentais toujours une barrière entre nous à présent, comme s'il me tenait à distance. Par moments, il me jetait des regards troublants, d'une grande intensité ; puis il s'arrêtait net, en parfait escrimeur qu'il était, la pointe de sa lame à un millième de centimètre de mon cœur, juste avant de faire couler mon sang. Je me demandais ce que cela signifiait pour les rêves d'Ashleigh. Il la traitait avec autant de courtoisie que moi, mais avec plus de liberté et de chaleur, me semblait-il.

Il était hors de question d'en discuter avec Ashleigh. Elle me rebattrait les oreilles de Ned, pour changer. J'ai consulté Sam. Elle s'est rangée à l'avis de maman.

– Si Seth ne voulait que des tuyaux à propos des devoirs et autres, il pourrait aussi bien t'envoyer un mail. Avec le téléphone, il gagne quelques minutes de conversation privée avec toi, même s'il ne te voit pas vraiment en tête-à-tête. Je suis prête à parier qu'il va tenter sa chance bientôt, à moins que tu le décourages avant.

Comme d'habitude, Samantha avait la bonne intuition.

Seth m'a envoyé un texto un jeudi après-midi : « tu peux me retrouver au java jail pour parler des épreuves ? » J'aurais dû me douter de quelque chose quand il a insisté pour me payer le café au lait, après avoir souligné sur un ton aussi pompeux qu'hypernerveux que la moitié de mes « qui » auraient dû être des « qu'il ». Pourtant c'est seulement lorsqu'il a rangé les papiers et détourné la conversation sur la programmation du Cinepalace que j'ai compris ce qu'il mijotait.

– Tu ne l'as pas vu non plus ? Ça te dirait qu'on y aille ensemble maintenant ? a-t-il proposé.

– Euh... Je ne peux pas... Il faut que... Ma mère a besoin de moi à la boutique, ai-je bredouillé, prise au dépourvu.

179

– Et pourquoi pas demain soir ?

Aller au cinéma seule avec Seth un vendredi soir ! De quoi aurait-on l'air ? Qu'est-ce que les gens allaient penser ?

– J'ai promis à Ashleigh..., ai-je commencé, décidée à terminer ma phrase par « que j'irais le voir avec elle ».

Le problème, c'est que je venais de confier à Seth qu'elle avait accompagné Emily Mehan à une projection le week-end précédent, pendant que j'étais chez mon père. Heureusement, je m'en suis souvenue à temps.

– ... que je resterais chez elle pour l'aider à répéter son numéro de danse, ai-je lâché d'une voix mal assurée.

Seth a affiché une expression déterminée, centrée autour de ses mâchoires crispées.

– Que penses-tu de samedi soir, dans ce cas ?

Samedi soir ! De pire en pire... Je me suis dégonflée.

– Je vais appeler maman pour lui demander si je peux lui filer un coup de main un autre jour.

Ses dents se sont desserrées et il a adopté un sourire satisfait, comme s'il m'avait battue de sept points à un devoir d'anglais et obligée à reconnaître ma défaite.

Êtes-vous déjà allée au cinéma avec un garçon qui ne vous plaît pas ? Dont les mains pensent très fort, si fort que vous les entendez : « Ni vu, ni connu, je me glisse sur son épaule... là, c'est le bon moment pour lui caresser le bras ! » Il se penche à votre oreille et murmure un commentaire ironique sur le film afin d'étaler son intelligence supérieure. Vous hochez la tête avec vigueur, tentant de repousser ses assauts du bout de votre célèbre menton pointu. Son épaule frôle la vôtre et vous le sentez trembler un peu sous sa pose confiante. Vous vous écartez autant que possible en mettant tout le poids du corps sur la même fesse ; l'accoudoir vous rentre dans la taille...

Je me suis réfugiée aux toilettes à la moitié de la séance et j'ai lancé un appel de détresse à Ashleigh.

– Au secours ! ai-je chuchoté. Je me suis laissé embarquer dans un rendez-vous avec Seth Young. C'est horrible ! Tu peux me tomber dessus par accident à la sortie du Cinepalace, d'ici une heure ?

– Un quoi ? Un rendez-vous ? Avec qui ? Comment... ?

– Je ne peux pas t'expliquer maintenant. Il faut que je retourne à mon siège. S'il te plaît, c'est important. Cinepalace, dans une heure.

Seth a paru soulagé à mon retour. Je crois qu'il avait peur que je le plante purement et simplement. Mais quand nous avons croisé Ashleigh et les jumelles Gerard devant le ciné, pile à l'instant où il allait trouver le courage de me prendre la main, il s'est hérissé.

– Julie ! Te voilà ! s'est écriée Ashleigh. Qu'est-ce que tu fabriquais ? Ça fait deux heures qu'on essaie de te joindre.

– À ton avis, qu'est-ce qu'elle fabriquait dans un cinéma ? a rétorqué Seth.

– Oh, salut, Seth, a-t-elle lancé d'un ton insouciant.

– Comment était le film ? s'est enquise une jumelle.

181

– Vous êtes toutes les deux dehors ? Je croyais que tu étais privée de sortie, ai-je dit.

Ne sachant pas laquelle était Yolanda, j'ai tourné la tête dans leur direction et laissé mes yeux errer dans le vague. La jumelle de gauche m'a répondu :

– J'ai eu une super note au devoir de maths de Klamp, alors ma mère m'a autorisée à sortir pour la soirée. Genre je suis libérée sous caution... ou en libération conditionnelle ? Comment on dit déjà ? En tout cas, on va au Java Jail pour fêter ça. Vous venez ?

– On y a déjà passé des heures, a répliqué Seth.

Il s'est dressé entre moi et mes copines.

– Si on allait plutôt au Bennie's Burgers ? m'a-t-il suggéré.

– Ouais, génial, tous chez Bennie ! s'est exclamée Ashleigh.

Ignorant le coup d'œil irrité de Seth, elle m'a attrapée par le bras et m'a entraînée dans la rue au pas de charge.

– Tu t'attendais à quoi, vu la façon dont tu l'as encouragé ? m'a sermonnée Yvette.

Nous étions rentrées chez Ashleigh. Seth avait tenté d'épuiser la patience de mes amies, mais quand il avait compris qu'Ash resterait jusqu'au bout de la nuit s'il le fallait, il avait capitulé et était reparti chez lui.

– Je ne l'ai pas encouragé. Qu'est-ce que tu racontes ?

– Tu réponds toujours à ses messages aussitôt et tu le laisses s'asseoir à côté de toi dans la classe de la mère Nettleton.

– Mais qu'est-ce que tu veux que je fasse ? Que je le snobe ? Et comment tu sais où il s'assoit d'abord ? Tu n'es pas en cours avec nous.

Yvette a souri.

– Ma sœur a raison, a acquiescé Yolanda. Au fait, pourquoi tu ne l'aimes pas ? Il a l'air plutôt sympa et il est pas mal. Pas aussi beau qu'Adam ou Ravi, bien sûr, mais il est plutôt mignon. Il a un petit côté artiste, romantique, et un joli nez aussi. Son déguisement de pirate à Halloween lui allait super bien. Tu es sûre qu'il ne te plaît pas ? Moi, à ta place, je ne cracherais pas dessus.

– Yo, t'es pas dégoûtée, franchement ! a grommelé Yvette. Tu trouves tout le monde mignon, même les garçons répugnants. Après, je suis obligée de les gifler pour les remettre à leur place.

– Je ne trouve pas Seth répugnant, ai-je dit. C'est juste que je ne l'aime pas.

– De toute façon, la question n'est pas là, a déclaré Ashleigh. Le cœur de Julie est déjà engagé.

– Ah ! oui, j'oubliais Ned, a poursuivi Yolanda. Mais je parie que tu pourrais sortir avec les deux si tu voulais. Ned ne s'en rendra pas compte : il est enfermé à Forefield.

Ce conseil a déclenché les foudres d'Ashleigh.

– Yolanda ! Dieu du ciel ! Comment oses-tu suggérer pareille abomination ? Julie est incapable d'une telle fausseté. Jamais elle ne se montrerait déloyale envers personne, encore moins un être noble comme Ned ! Quel sacrilège ! Son amour, à l'image de sa personne, est pur et sincère !

– Mais je n'arrête pas de te répéter qu'il n'y a rien entre moi et Ned, ai-je protesté faiblement.

Je n'ai pas trop insisté. D'abord, cela ne servait à rien. Et puis la tirade enflammée d'Ashleigh m'avait troublée. Jamais fausse, incapable de dissimulation, d'une nature pure et sincère... Ces compliments venant de la fille dont je convoitais l'amoureux en secret m'emplissaient de culpabilité. Le portrait convenait beaucoup mieux à Ashleigh. Non, je ne méritais pas les louanges de ma fidèle amie.

Chapitre 15

Réjouissances de Noël. – L'anniversaire du bébé.
– Le plus bel âge de la vie. – Premiers baisers.

Après un tourbillon d'évaluations et de devoirs à rendre, les vacances de Noël sont enfin arrivées. Le numéro d'hiver de *Voile vers Byzance* est parti chez l'imprimeur. Seth est allé déposer le CD. Pour ne pas l'accompagner, j'ai prétexté une dissertation d'anglais, que j'ai bâclée en recyclant des idées de la précédente. Mme Nettleton n'y a vu que du feu.

La punition de Yolanda a pris fin, avant d'être aussitôt reconduite : la plus turbulente des jumelles Gerard avait séché le cours de physique pour passer du temps avec Adam.

Ashleigh et moi avons échangé en avance nos traditionnels cadeaux de Hanoukka/Noël, autrement dit de « Hanouël ». Elle m'a offert un CD de chansons populaires jouées dans les salons du dix-neuvième siècle (« Voilà ce qu'écoutaient les héroïnes de Jane Austen à la place des comédies musicales », m'a-t-elle expliqué.) Moi, je lui avais préparé un kit de magicien avec des invendus de la boutique de maman : un bouquet de foulards colorés, une baguette taillée à partir d'une canne cassée, un lapin en peluche... J'étais particulièrement fière du haut-de-forme auquel j'avais ajouté un double fond et fixé une sorte de clapet. J'espérais un peu éveiller une nouvelle passion... sans succès.

– Comme cela aurait plu aux personnages de Miss Austen ! s'est écriée Ashleigh. Cette distraction aurait égayé à merveille les longues soirées à Pemberley. Que dirais-tu de composer une comédie musicale à partir d'*Orgueil et préjugés* ? Ce chapeau ne serait-il pas du meilleur effet sur la tête de Darcy ?

Parmi les dates à ne pas oublier à cette saison figure celle de mon anniversaire : le 17 décembre. Il tombe toujours au début des vacances. Mon père, très scrupuleux sur l'application de ses droits, insiste pour que je le fête en alternance chez lui et chez ma mère. Cette année, c'était son tour.

Des bruits de pas faisaient trembler le plafond de ma chambre souterraine. Je me suis réveillée. L'Irrésistible Comptable marchait juste au-dessus de ma tête dans la cuisine, où elle donnait vie au petit déjeuner à grands coups de casseroles entrechoquées et de portes de placards claquées. J'ai enfoncé le crâne dans l'oreiller, mais le sommeil m'avait abandonnée. Alors j'ai enfilé mon peignoir, mes chaussons et je suis montée.

Amy m'a tendu une assiette de frittata de potiron accompagnée de frites maison parsemées d'herbes aromatiques, et une salade d'agrumes coupés en tranches.

– Voilà, ma puce ! Joyeux anniversaire.

186

Sur ces mots, elle a éclaté en sanglots et elle a quitté la pièce en courant.

Alors que je la suivais du regard, stupéfaite, mon père a pointé sa fourchette en direction de mon assiette.

– Tu ne veux pas de ton petit déjeuner ? Allez, mange. Sinon tu vas la vexer.

J'ai avalé une bouchée sans grand enthousiasme.

– Qu'est-ce qu'elle a ? L'anniversaire de ma naissance est si tragique qu'une femme d'âge mûr ne peut pas se retenir de pleurer ?

Papa m'a toisée avec sévérité.

– Bravo, c'est très délicat de ta part ! Tu ne sais donc pas quel jour on est ?

– Euh... le 17 décembre ?

– Oui, pour toi, c'est le 17 décembre ; mais pour Amy, c'est l'anniversaire du bébé.

– Quel anniversaire ? Quel bébé ? Elle n'a pas de bébé.

– Justement, c'est bien pour ça qu'elle est bouleversée, a-t-il expliqué d'un ton de patience forcée. Elle aurait dû arriver à terme le 17 décembre. Sans la fausse couche, ce serait son anniversaire aujourd'hui.

Je me suis livrée à un rapide calcul mental.

– C'est impossible ! Elle a perdu le bébé en octobre. Elle n'avait même pas l'air enceinte. Elle n'aurait pas accouché avant des mois !

– Pas cette fausse couche-là, Julie, a répondu mon père avec un brin d'agacement, comme si je m'étais plantée à une question très facile dans un quiz. Tu ne te rends pas compte à quel point Amy a souffert. Je te parle de la

187

première fausse couche, celle d'il y a quatre ans, quand nous nous sommes installés ensemble. Elle était dévastée. Tu ne t'en souviens pas ? Elle a été très, très courageuse, mais quand nous avons perdu le deuxième bébé il y a deux mois, ça a rouvert la plaie. Tu seras gentille avec elle aujourd'hui, hein ? Je compte sur toi.

Là-dessus, il a terminé sa frittata, enfilé son manteau et il est parti travailler.

Je fixais mon omelette cinq étoiles sans bouger, pendant que mon cerveau continuait ses petits calculs malgré moi. Quand les résultats ont rejailli à la surface de ma conscience, j'ai été saisie d'horreur. Si mon père disait la vérité, et il n'y avait aucune raison de penser qu'il mentait, alors Amy était enceinte de plusieurs mois lorsqu'il avait quitté ma mère. Tout au long de ces semaines de thérapie de couple, alors qu'il nous promettait de prendre un nouveau départ, il mentait. Il n'en pensait pas un traître mot. Il savait depuis le début qu'il partirait.

Oh, je ne m'étais pas fait d'illusions à l'époque. Je ne m'attendais pas vraiment à ce que tout redevienne comme avant. Mais de là à penser qu'il n'avait même pas essayé.

Et de là à l'apprendre le jour de mon seizième anniversaire.

J'ai décidé de fermer pour de bon ma Fondation pour la Paix dans les Familles. Aucune somme d'argent virtuelle ne pourrait jamais compenser ça.

Mon portable a sonné. J'ai jeté un coup d'œil au numéro : maman, qui voulait sans doute me souhaiter un bon anniversaire. Bavarder était au-dessus de mes forces. J'ai laissé le répondeur recevoir ses vœux à ma place.

Amy est revenue dans la cuisine.

– Que se passe-t-il, ma puce ? Tu ne manges pas. Tu n'aimes pas ma frittata ?

La maison étant déjà inondée par les larmes d'Amy, je me refusais à y ajouter les miennes. Il faisait trop froid pour envisager une promenade dans les bois, alors je me suis réfugiée dans la serre des Liu. J'aimais à l'appeler le jardin d'hiver. Mais contrairement à celui de Forefield, une élégante structure de fonte et de panneaux de verre offerts au soleil, le modèle des Liu était plus petit et allait à l'essentiel. Il s'apparentait plus à une cabane, finalement. Haichang l'avait construit avec du contreplaqué et des bâches en plastique pour maintenir ses orchidées et le potager de Lily à l'abri du gel.

Il faisait frais à l'intérieur, mais la serre était lumineuse. De fragiles rayons de soleil filtraient à travers le plastique et les légers nuages d'hiver. Je suis passée avec précaution à côté de deux pots d'orchidées papillons hybrides et je me suis assise sur un banc. Là j'ai rempli mes poumons d'air humide et je me suis laissée aller à m'apitoyer sur mon sort.

Le pire, c'est que je culpabilisais. Étais-je seulement autorisée à me plaindre ? J'avais des amis, des parents (en double exemplaire) qui ne me maltraitaient pas, des bonnes notes, un physique acceptable, des activités prenantes : bref, tous les signes extérieurs du privilège. Je pouvais aussi compter sur une sœur de cœur, Ashleigh. J'avais même un soupirant, en quelque sorte. Pas celui de mes rêves, hélas. Juste Seth. J'ai essayé de m'imaginer en train de l'embrasser. Beurk ! Mais il valait peut-être mieux que je me fasse à l'idée. Je vieillissais et de tous les garçons que je connaissais, Seth était celui qui se rapprochait le plus de la définition du petit ami. Déjà seize ans, que c'était pathétique ! Et si mon premier baiser tant attendu venait de Seth ?

J'ai commencé à verser des larmes pour de bon.

Entre le bruissement du plastique dans le vent, le ronron du chauffage, le glouglou de l'humidificateur et mes propres reniflements, je ne risquais pas d'entendre un intrus arriver. Si bien que je n'ai rien remarqué jusqu'à ce qu'un bras se glisse sur mes épaules.

– Ben alors, ma sauterelle ! Qu'est-ce qui ne va pas ?

Zach Liu était de retour pour les fêtes. Sauterelle ! Moi qui croyais m'être débarrassée de ce surnom horrible depuis longtemps.

– Oh, Zach ! C'est mon anniversaire.

J'ai caché mon visage dans le creux de son épaule et j'ai pleuré encore plus fort.

– Mais c'est plutôt une bonne nouvelle, ça, ma petite sauterelle ! Joyeux anniversaire ! Dix-sept ?

J'ai secoué la tête ; son pull me grattait les joues.

– Seize.

– Encore mieux ! Seize ans, c'est le plus bel âge !

Mes sanglots ont redoublé d'intensité.

– Ouais, bien sûr. Surtout quand t'as jamais eu de copain.

– Ah, c'est ça, le problème ? Tu attends encore ton premier baiser ? Et ce type de Forefil-de-fer, là, qu'est-ce qu'il attend ? Il n'y a vraiment que des mauviettes dans ce lycée. En dehors de mon jeune *sparring partner*, Parr, bien sûr. Lui, au moins, ce n'est pas une poule mouillée. Je parie qu'avec Parr, ta copine Ashleigh ne reste pas privée de bisous. Allons, ma grande perche, arrête, tu vas t'étouffer ! Ton chéri a la trouille, c'est tout. Il ne faut pas le prendre perso.

– Tu veux parler de Ned ? ai-je soupiré. Je sais qu'Ash n'arrête pas de répéter qu'on sort ensemble, mais c'est faux. Je n'ai personne. Je suis trop grande, avec des bras trop longs, et des jambes trop maigres, et des cheveux trop plats, et un visage tout en longueur, et personne n'a envie de m'embrasser à part des pervers et ce pauvre Seth Young qui est archi-coincé. De toute manière, si quelqu'un essayait, je ne saurais même pas comment m'y prendre.

– Ouah... la situation est plus grave que je ne pensais.

Il m'a serrée dans ses bras et m'a tapotée un peu trop fort entre les omoplates, comme s'il voulait me faire cracher un os de poulet. J'ai commencé à me sentir un peu mieux.

– Je peux te montrer, si tu veux, a-t-il proposé. Tu peux t'entraîner avec moi.

– Qu'est-ce que tu racontes ? M'entraîner à quoi ?

– À embrasser. Comme ça, quand le fameux garçon qui n'est pas ton copain se décidera enfin à se bouger les

191

fesses, tu n'auras plus peur de mal te débrouiller. Et s'il ne se passe toujours rien avec lui... eh bien, au moins, tu l'auras eu, ton premier baiser.

J'ai décollé mon front de son pull et je l'ai dévisagé.

– Enfin, à toi de voir, a-t-il ajouté. Je ne voudrais surtout pas te...

Vite, de crainte de changer d'avis, j'ai embrassé Zach. Le beau Zach, le bourreau des cœurs des terminales ; le plus gentil, confiant, taquin et chaleureux des voisins. L'inaccessible Zach.

J'ai raté l'atterrissage. Trop rapide, trop brusque, légèrement décentré – je ne savais pas trop quoi faire de ce premier baiser.

– Hmm, a-t-il marmonné avec tact.

Puis il a pris mon visage dans ses mains et a corrigé le tir avec délicatesse et expérience.

– Je crois que tu as pigé le truc, a-t-il dit après le deuxième essai. Encore ?

J'ai hoché la tête. Cette fois nos bouches se sont entrouvertes. Alarmée, j'ai senti mon cœur s'accélérer. Il y a eu comme une collision, et puis une sorte de nœud.

– Détends-toi, m'a-t-il dit en se reculant un peu. Cool.

Après le baiser suivant, je me suis décontractée. Embrasser commençait presque à me paraître naturel ; cela ressemblait de plus en plus à une danse, et de moins en moins à une lutte entre deux personnes tentant de passer en force, face à face, par une porte à battants. J'arrivais même à respirer. J'hésitais à ouvrir les yeux

192

quand j'ai senti une violente vibration à travers le torse de Zach. Nos dents se sont heurtées.

– Aïe ! a-t-il crié.

– Espèce de gros malade ! Laisse-la tranquille !

Samantha était en train de frapper son frère avec un sac de terreau. Je ne l'avais jamais vue aussi en colère.

– Julie, ça va ? Zach, t'es pas bien ou quoi ? Qu'est-ce que tu fous ?

– À ton avis ? Ça ne se voit pas ? a-t-il rétorqué en brossant son jean couvert de terre.

– C'est rien, Sam, ai-je glissé, mortifiée. C'est moi qui l'ai embrassé.

Elle m'a observée un moment, puis elle s'est tournée vers Zach.

– T'es complètement irresponsable ! Et Jenna, alors ?

– Calme-toi ! Tu salis partout. Je ne trompe pas Jenna, c'est juste un baiser. Julie et moi, on sait très bien ce qu'on fait. C'est son anniversaire. Elle se sentait seule. Il n'y a pas de quoi s'énerver. Personne ne va avoir le cœur brisé. Julie est amoureuse de ce type de Forefield, de toute façon.

Samantha a reposé le sac.

– Sors d'ici. Je ne rigole pas. Va-t'en.

Il m'a jeté un coup d'œil penaud, puis il a terminé de s'épousseter et il est parti.

– Désolée pour mon débile de frangin, a-t-elle dit. Tu vas bien ?

En vérité, je ne savais pas trop. J'étais à la fois excitée, terrifiée, bouleversée... Je devais d'urgence me trouver un autre abri pour m'éclaircir les idées. En premier lieu, il fallait rassurer Samantha.

– Oui, je vais bien, Sam. Ne t'inquiète pas. Je ne risque pas de tomber amoureuse de ton frère, si c'est ce qui te tracasse. Il m'a surprise ici en train de pleurer et il m'a consolée. C'est tout. Il n'a pas cherché à profiter de la situation. C'est moi qui l'ai embrassé.

– Bon. Mais si tu veux que je le tue, il n'y a qu'à demander. De toute façon, je finirai sans doute par en arriver là. Oh, et bon anniversaire, au fait.

Chapitre 16

Un bouquet de narcisses. – Un bouquet de fleurs de serre.
– Un saut à Broadway.
– L'auteur et son amie découvrent la maison de Parr.
– Des empreintes dans la neige.
– Un troisième sonnet.

À mon retour chez maman, je me suis aperçue que quelqu'un était entré dans ma chambre et l'avait nettoyée. Mon lit était fait, mes vêtements repassés et rangés. Les coquillages, pierres, os et fragments de porcelaine de ma merveilleuse collection avaient été soigneusement époussetés et disposés sur l'étagère. Le sol brillait, comme si on venait juste de passer une serpillière. Il n'y avait pas une toile d'araignée en vue, pas même dans les recoins les plus inaccessibles du plafond, tout en haut, où une araignée chassée de sa toile s'était déjà remise au travail. Pas un grain de poussière ne ternissait mon bureau. Les livres et les papiers se trouvaient à l'endroit où je les avais laissés, mais ils formaient des piles bien parallèles, aux coins aplatis. Un bouquet de narcisses ornait le rebord de ma fenêtre et emplissait la pièce de son parfum suave et entêtant.

J'ai tout de suite pensé qu'il s'agissait du cadeau d'anniversaire d'Ashleigh. À part elle, qui se serait permis de toucher à mes affaires en espérant s'en tirer ?

Comme par hasard, sa tête bouclée a surgi derrière la vitre.

– Ouvre ! Ça gèle dehors !

Dans ma chambre étincelante, face à mon amie qui me souriait de toutes ses dents, j'ai eu honte de moi. J'avais tant de raisons d'être heureuse, et si peu de me plaindre ! J'ai ouvert la fenêtre et tendu la main à Ashleigh pour l'aider à passer.

– Joyeux anniversaire ! s'est-elle écriée d'un air satisfait.

Tandis qu'elle ôtait ses baskets afin de ne pas éparpiller de petits bouts d'écorce sur le sol propre, j'ai remarqué qu'elle portait un jean, sans souci pour la visibilité de ses membres inférieurs.

– Comment c'était ? Tu as vécu des trucs de folie ?

– En fait, oui.

J'en avais marre de garder des secrets. Je pouvais au moins lui raconter mes aventures de la journée. Peut-être qu'elle aurait une explication sur le pourquoi du comment de mon comportement.

– Attends, que je comprenne bien, a-t-elle dit une fois mon récit terminé. Tu as embrassé Zach Liu ? Quatre fois ?

– Oui. Enfin, techniquement, je ne l'ai embrassé qu'une fois. Les trois autres, c'est lui qui m'a embrassée.

– Mais, Julie, j'ignorais que tu éprouvais ce genre de sentiment pour Zach. Pourquoi tu ne m'en as pas parlé ?

– Parce que je n'éprouve pas « ce genre de sentiment » pour lui, justement. Il ne m'intéresse pas. Ce serait

196

n'importe quoi. On ne joue pas dans la même catégorie. Toutes les filles de Byz sont dingues de lui et il le sait. En plus, il est à la fac, il a une copine et j'ai à peine seize ans !

– Alors pourquoi tu l'as embrassé ? Et Ned ?

– Ash, réveille-toi ! Je n'arrête pas de te répéter que je ne suis pas amoureuse de Ned. Il est très sympa mais il ne me plaît pas. Et il ne m'aime pas non plus, d'ailleurs. Il n'a jamais tenté de m'embrasser, lui.

– Je vois. Je regrette de vous avoir interrompus dans la salle des trophées. Il n'a pas eu le temps de tenter sa chance. J'aurais dû sortir sur la pointe des pieds sans un mot ! Mais ce n'est pas ma faute : je croyais te délivrer de Chris. Et maintenant tu en as marre d'attendre que l'élu de ton cœur se lance, alors tu vas embrasser quelqu'un d'autre. Je comprends.

J'ai soupiré. Elle avait raison, mais en partie seulement.

– Tu réalises que j'ai seize ans ? Ned n'a jamais eu l'intention de m'embrasser. Ni dans la salle des trophées, ni ailleurs. Le seul qui ait jamais voulu, c'est Seth. Franchement, je préfèrerais éviter. Je n'étais pas dans mon état normal tout à l'heure, avec Zach. Je voulais juste voir ce que ça faisait. À force, j'avais peur que Seth finisse par arriver à ses fins. Il est tellement têtu. Tu imagines, donner mon premier baiser à Seth ? Au moins Zach est quelqu'un que j'aime bien.

– Ah ! Alors tu le reconnais !

– Ash ! Il est gentil, il est super beau, c'est le grand frère de Samantha, il vit loin et il a déjà une copine. Il ne risque pas de me courir après comme Seth. Et puis, pourquoi je serais obligée d'aimer quelqu'un pour l'embrasser ? Tu es amoureuse de Ravi, toi ? Non. Pourtant tu l'embrasses toutes les semaines, deux fois au minimum.

– C'est différent. Je suis obligée à cause de la pièce. Je ne le ferais pas dans un autre contexte.

– Pourquoi pas ? Il embrasse mal ?

– Non... j'en sais rien... ça va... mais il ne m'intéresse pas.

– Et Parr, tu l'as embrassé ?

J'ai aussitôt regretté d'avoir posé la question.

– Non, bien sûr que non. Tu te doutes bien que tu serais au courant, a-t-elle répondu d'un ton sec. Alors, c'était comment ?

– Quoi ? Embrasser Zach ?

– Oui.

– C'était... agréable. Étonnamment agréable. Je recommencerais sans hésiter.

– Tu recommencerais ? s'est-elle exclamée, choquée. Tu viens de dire qu'il avait une copine !

– Peut-être pas avec Zach. Samantha me tuerait. Ou elle le tuerait. Mais avec quelqu'un d'autre, oui, sans hésiter. Si c'était le bon garçon.

Les chances d'embrasser le Bon Garçon me semblaient si faibles que je me suis surprise à regretter l'espace d'un instant que Zach ne soit pas libre, qu'il ne soit plus au lycée, qu'il soit le fils du partenaire de mon père, qu'il soit aussi hors de portée que le renne sur le toit de la maison d'Ashleigh, et qu'il ne puisse pas m'embrasser tranquillement sans que sa sœur ne l'interrompe en lui vidant un sac de terreau sur la tête.

Samantha a fait un saut le lendemain avec une énorme brassée de fleurs. Je les ai reconnues : elles venaient de la serre de ses parents. Elle avait obligé Zach à la conduire dans sa légendaire Saab, mais elle lui a interdit de sortir de la voiture.

– Joyeux anniversaire ! Ces fleurs viennent de mon crétin de frangin. Je te les offre personnellement pour m'assurer que le message te parvienne sans ambiguïté. Ce n'est pas un bouquet romantique. C'est un bouquet qui signifie : « Joyeux anniversaire ! Désolé de t'avoir sauté dessus. Est-ce que tu voudras bien me pardonner un jour, sinon ma sœur va me tuer ? »

– Je voulais t'offrir des roses, mais Sam m'en a empêché ! a crié Zach depuis le siège du conducteur.

– La ferme ! a-t-elle grogné en lui donnant un coup de poing à travers la vitre baissée.

À Noël, Ashleigh a reçu deux billets pour aller voir *Fascination !* à Broadway et elle m'a invitée. Nous avons pris le train de banlieue direction New York et nous avons dormi chez ma tante Ruth et mon oncle John. Avant le spectacle, nous avons passé l'après-midi à manger des boulettes de viande dans Chinatown, à feuilleter des livres dans l'immense librairie d'occasion de Greenwich Village et à essayer des fausses moustaches dans un magasin d'accessoires de théâtre.

199

La comédie musicale nous a plu, surtout les chansons. Ashleigh était éblouie par les voix des interprètes et par l'orchestration ; et moi, j'ai trouvé les paroles presque aussi spirituelles que celles de Parr. Quand le rideau est tombé, nous avons applaudi à tout rompre, jusqu'à ce que nos mains soient engourdies.

Nous avons dormi dans le salon de Ruth et de John, Ashleigh sur le sofa et moi sur un matelas gonflable. Je me suis enfoncée lentement au fil de mes rêves et au matin, je me suis réveillée à plat dos par terre, avec un tour de reins.

– Oh, zut ! s'est exclamée Tati Ruth. On dirait que le matelas a besoin d'une rustine. Désolée !

Ce matin-là, nous sommes allées au Musée Frick, l'ancien hôtel particulier d'un magnat de l'acier du dix-neuvième siècle sur la Cinquième Avenue. Il renferme une importante collection d'art privée. Nous nous sommes bien amusées. Notre grand jeu consistait à comparer les portraits aux personnes de notre connaissance en essayant de former des paires ressemblantes. Pour Ashleigh, c'était facile : elle aurait pu être le modèle de George Romney quand il a peint le portrait de Lady Hamilton, une jolie jeune femme en robe rouge avec une chevelure brune fournie et un petit chien vif sous le bras. Il s'est avéré plus difficile de trouver une peinture qui me correspondait. Ashleigh a désigné une gracieuse lady représentée par Gainsborough, vêtue d'une robe bleue sophistiquée. Mais je me sentais plus proche d'une fille à l'air sévère et habillée tout en noir sur une toile de Whistler.

Après le déjeuner, Ashleigh a lancé :

– Eh, Grandison Parr habite dans le quartier, je crois. Allons voir où il habite. Peut-être que Ned sera là.

– Je ne suis pas sûre que ce soit une bonne idée, Ash, ai-je répondu, gagnée par la terreur si familière du ridicule en public. Qu'est-ce qu'on prétextera s'ils nous aperçoivent ? Et pourquoi veux-tu que Ned soit là ?

– On racontera la vérité : on était dans le coin. Ned m'a expliqué qu'il resterait chez les Parr pendant une partie des vacances. Allez, viens.

Elle a passé mon bras autour de ses épaules, a agrippé mon poignet à deux mains et a commencé à me traîner dans la rue.

– D'accord, d'accord...

J'ai récupéré mon bras et je l'ai suivie en soupirant.

Parr vivait dans une belle maison, étroite mais haute, qui semblait avoir été bâtie à la même époque que le musée Frick, il y a un siècle environ. Alors que je fixais la porte rouge rutilante au fond de la belle véranda vitrée, mon cœur s'est mis à palpiter. Dire que c'était derrière ses murs qu'il lisait, se douchait, dormait et rêvait !

Puis j'ai frôlé la syncope quand Ashleigh s'est précipitée en haut des marches pour appuyer sur la sonnette. Je l'ai retenue de toutes mes forces.

– Non ! Hors de question. Les gens ne sonnent pas les uns chez les autres dans ce quartier.

Elle a protesté mais j'ai refusé de céder.

– Je te préviens : si tu fais ça, je pars sans toi. Je monterai dans le premier train. Je ne plaisante pas, Ashleigh.

– Oh, bon, tant pis.

Elle s'est adossée à un arbre sur le trottoir d'en face et a examiné la façade.

– À ton avis, c'est laquelle, sa fenêtre ? Tu crois que Ned dort dans la chambre d'amis ? Tu dirais que c'est quelle fenêtre, la chambre d'amis ?

Je frissonnais de peur de la tête aux pieds à l'idée que Parr puisse se tenir derrière une de ces vitres et nous repérer.

– Je n'en sais rien. Tu as vu où il habitait maintenant. Tu es contente ? On peut repartir ?

– Attends une minute. Ils vont peut-être sortir.

– S'ils sortent, je meurs de honte. Allez, viens. Il caille. Je me sens bête.

– Si tu me laissais sonner à la porte, on pourrait rentrer se réchauffer, a-t-elle riposté.

– Ciao. Je m'en vais. On se revoit à Byzance.

– O.K., O.K. ! Juste une seconde.

Heureusement, personne ne s'est montré.

À un moment, une grande blonde est passée lentement en regardant les fenêtres.

– Tu crois que c'est la copine de Parr ? ai-je murmuré.

– Quelle copine ?

– Celle dont parlait l'amie de Sam dans son mail.

– Peut-être. Je vais lui demander. Avec un peu de chance, elle pourra nous dire où ils sont.

– Ash, t'es cinglée ! T'as pas intérêt ! ai-je sifflé en enfonçant mes doigts dans son bras.

La fille s'est éloignée et a disparu au bout de la rue.

Après avoir piétiné pendant une demi-heure dans le froid, Ashleigh a fini par admettre que ses pieds s'engourdissaient. Nous avons pris le train de 14 h 25 au Grand Central Terminal.

Après le Nouvel An, la température a chuté d'un coup. Des courants d'air cinglants soufflaient dans ma mansarde. Ils étaient plus durs à supporter que d'habitude parce que ma mère et moi avions décidé d'un commun accord de baisser le thermostat afin d'économiser sur le mazout. J'ai empilé toutes les couvertures disponibles sur mon lit et j'ai pris l'habitude de dormir dans mon pyjama le plus moche, mais le plus chaud : celui en pilou avec des œufs sur le plat dessinés dessus. Je portais même un bonnet au lit.

La neige s'est mise à tomber – pas en quantité suffisante pour fermer les écoles, hélas, mais assez pour nous obliger à déblayer devant nos portes pendant une demi-heure tous les matins. Notre chêne était désormais humide et glissant. Les branches menaçaient de lâcher des paquets de neige dans notre cou. Ashleigh et moi avons arrêté l'acrobranche en attendant des temps plus cléments.

Les cours ont repris. En histoire, les révolutionnaires français prenaient la Bastille d'assaut. En anglais, nous avons commencé à étudier *Orgueil et préjugés*, à mon grand désarroi : je craignais que l'amiral ne saborde mon livre préféré. Ashleigh et Yolanda levaient sans arrêt la main et monopolisaient la parole. En revanche, la note de participation de Seth a dégringolé. Il fait partie de ces garçons qui jugent l'écriture de Jane Austen idiote et futile. Il avait tout de même quelques commentaires agréables à formuler au sujet du père d'Elizabeth, Mr. Bennet, qu'il trouvait spirituel à l'inverse de « l'abject » Mr. Darcy.

Les lycéens de Forefield s'en sont retournés dans leur château sur la colline. Ashleigh a aussitôt reçu un mail de Ned. Il avait en effet passé ses vacances avec les Parr, mais dans les Bermudes, pas à Manhattan. Je m'étais donc angoissée pour rien sur l'East 74th Street. Les répétitions de *L'Insomnie* n'ont pas recommencé tout de suite, cependant. Les garçons passaient leurs évaluations après les vacances, les pauvres, et les activités extrascolaires étaient suspendues afin de leur permettre de réviser.

– Tu n'as rien entendu hier soir, Julie ? m'a demandé Ashleigh un matin, devant l'arrêt de bus.

– Non. Pourquoi ?

– Il y a eu un grand bruit dehors. J'ai cru que c'était un ours ou un cerf qui mangeait l'arbre, mais quand j'ai jeté un œil tout à l'heure, j'ai vu des empreintes de pas dans la neige – des pas d'humains, pas des traces de sabots. Ou alors le cerf portait des bottes.

– Tu penses que quelqu'un mangeait l'arbre ?

– C'est rare, les gens qui aiment l'écorce.

– Sauf l'écorce d'orange dans les chocolats.

Nous avons marqué une petite pause nostalgique en souvenir des kilos de délicieux chocolats aux écorces d'oranges confites que nous avions faits pendant la période confiserie d'Ashleigh.

– C'est bizarre, je me demande qui ça pouvait bien être, a-t-elle dit.

Nous avons inspecté le jardin le lendemain matin, puis le surlendemain, sans relever d'empreintes suspectes. Mais trois jours plus tard, un samedi, nous avons remarqué des trous dans la neige au pied du chêne. Et surtout, épinglé au tronc à l'aide d'une punaise rouge : un sonnet. Les bords de la feuille étaient recroquevillés à cause de l'humidité. Heureusement, il avait été écrit au stylo bille et l'encre n'avait pas coulé.

Voici ce qu'il disait :

Je voudrais tant rester encore sous ta fenêtre,
Une minute, une heure, peut-être davantage.
Laisse-moi voir ta lumière et ton doux visage,
Il me faudra bientôt m'enfuir et disparaître.
Au fil des semaines ma force m'abandonne.
Les feuilles sont tombées, puis la pluie et la neige,
Et je me suis laissé prendre au plus doux des pièges.
Feindre l'indifférence m'épuise et je frissonne,
K.O. dans le froid, au pied de ta forteresse.
Oh ! te voilà enfin ! Nul Cognac, Vodka ni
Whisky ne m'ont fait connaître une telle ivresse.
Incendiaire vision, spectacle volcanique !
Tourne-toi, mon amour, mon soleil, ma Juliette !
Zéro degrés ici : mais là-haut, c'est Papeete.

– Waouh ! a soufflé Ashleigh. Tu as un admirateur !
– Pourquoi moi ? Le poème pourrait t'être destiné.

– Il est punaisé de ton côté de l'arbre.

– C'est le côté le plus facile d'accès.

– Julie, il est évident qu'il t'est dédié ! Le poète a même mentionné ton nom. Regarde : Juliette, Julie, c'est presque pareil. « Feindre l'indifférence m'épuise » ! C'est tout Ned, ça ! Il est si sincère, si spontané ! Et il n'est pas du genre à s'exprimer avec retenue.

– Je ne suis pas d'accord : ça ne ressemble absolument pas à la prose de Ned, ai-je objecté. Il fait des fautes à tout bout de champ et il est fâché avec la ponctuation. Dans ces e-mails, du moins. Moi, je trouve que c'est du Parr pur jus. Nous savons qu'il aime faire des vers. La rime « Vodka ni / volcanique » ne te rappelle pas les paroles de certaines chansons de *L'Insomnie* ? Sans parler de « Juliette / Papeete ».

– Parr ? Oui, possible. Alors Parr est amoureux de toi aussi ? Ned *et* Parr ? D'un autre côté, c'est difficile de les blâmer !

Parr qui m'écrivait des poèmes d'amour ? Cette hypothèse était-elle plausible ? Il m'a semblé percevoir un brin de déception dans la voix d'Ashleigh. Je me suis empressée de la rassurer.

– Non, non, Ash. Il fait référence à toi, sans aucun doute. Écoute : « mon amour, mon soleil ». Ça ne peut être que toi ; tu es beaucoup plus solaire et rayonnante que moi.

– Non, idiote, c'est toi le soleil : je suis brune et bouclée. Tu crois que ça pourrait venir de Seth ? Il écrit pour le magazine littéraire et tu lui plais.

206

– Oh, pourvu que ce ne soit pas lui ! Mais je ne pense pas. Il se prend pour Montaigne, pas pour Shakespeare.

Nous avons continué de débattre un moment sans résoudre la question. Ashleigh, toujours aussi généreuse et têtue, a insisté pour que je garde le sonnet. Je l'ai épinglé sur mon tableau, à côté de l'autre note mystérieuse, celle qui accompagnait le dindon en chocolat. J'ai comparé attentivement les deux écritures. Celle de l'expéditeur du dindon était plus serrée et moins soignée, sans doute parce qu'il avait manqué de place sur le carton. Toutefois la forme des lettres n'était pas très différente. J'en ai conclu qu'il me fallait un échantillon plus long de l'écriture manuscrite de M. Chocolat afin d'établir avec certitude qu'il s'agissait bien d'un seul et même auteur.

Chapitre 17

Le permis de conduire anticipé. – Un mokaccino au goût amer.
– Sauce à la menthe et soupe à la grimace.
– L'auteur approuvée par son père et sa belle-mère.

Le mardi suivant, Seth Young m'a interceptée alors que je quittais le bahut avec Ashleigh et les jumelles.

– Oh, Julie, l'imprimeur a appelé. Les exemplaires reliés de *Voile vers Byzance* sont prêts. Eleanor m'a demandé d'aller les récupérer. Tu veux bien m'aider ? C'est là-haut, dans les quartiers nord.

Ça m'a paru difficile de refuser.

– D'accord. Comment on y va ? Madame Nettleton nous emmène en voiture ?

– Non, a-t-il répondu fièrement, c'est moi. J'ai eu mon permis la semaine dernière.

– Tu n'es pas obligé d'avoir un adulte à côté de toi jusqu'à tes dix-huit ans ?

– Non : Permis Anticipé. J'ai le droit de conduire seul pour aller à l'école ou aux activités périscolaires.

J'ai jeté un regard de détresse à Ashleigh.

– Génial ! s'est-elle écriée. Justement, Yo et Yve habitent vers là-bas. Tu peux nous déposer ?

Seth a affiché une mine faussement désolée.

209

– Je regrette, Ashleigh. J'aurais bien aimé vous rendre service, mais je ne peux pas prendre plus de deux passagers mineurs.

J'ai tenté une manœuvre ultime pour le décourager.

– Il faut que j'appelle mon père pour lui demander l'autorisation. Je ne suis pas sûre qu'il acceptera que je monte avec quelqu'un qui vient juste d'avoir son permis.

– Laisse-moi lui toucher deux mots, a suggéré Seth.

De pire en pire.

Terri, la réceptionniste du cabinet, m'a passé papa.

– Papa, est-ce que je peux rentrer un peu plus tard que prévu ? Je dois aller avec mon copain Seth récupérer les exemplaires de *Voile vers Byzance*. Le magazine littéraire, tu te rappelles ? C'est lui qui conduit. Il a eu son permis la semaine dernière.

Mon père a exprimé de l'inquiétude, comme je l'escomptais.

– Oui, il y a quelques jours. Je ne sais pas, je ne l'ai jamais vu conduire, mais je suis certaine que ça va aller. Il est très énergique.

Seth a tiré sur ma manche pour que je lui donne le téléphone.

– Ne quitte pas, papa, il veut te parler.

– Bonjour, Docteur Lefkowitz ? Seth Young à l'appareil. Je vous assure que je suis un conducteur avisé et que je prendrai bien soin de votre fille. J'avais déjà soixante heures de conduite derrière moi avant de passer l'examen, soit le double du nombre recommandé dans l'État. J'ai eu d'excellents résultats partout, en particulier à l'examen

210

pratique. J'ai aussi mon diplôme de premiers secours. Je ne pense pas que j'aurai à réanimer quelqu'un cette après-midi, évidemment, mais cela répond de mon caractère prudent. Comment ? Oui, la Volvo de mes parents... Non, jamais... Bien entendu... Oh, j'en serais ravi, c'est très aimable à vous. Il faut juste que je pose la question à mes parents. (Il m'a rendu le téléphone.) Il veut te reparler.

– Ton ami m'a l'air d'être un jeune homme responsable, m'a dit mon père. Je l'ai invité à dîner. Amy fait rôtir un gigot d'agneau.

Seth a conduit pile à la limite de vitesse autorisée, à l'aller comme au retour. Il marquait bien les stops. Il tenait son volant à deux mains et il regardait dans les rétroviseurs toutes les dix secondes.

Nous avons donné nos papiers dans le bureau de l'entrée puis nous nous sommes assis sur un canapé en vinyle rouge acajou. Seth a négligemment étendu son bras sur le dossier, un peu trop près de moi, mais pas assez pour que je puisse le repousser de l'épaule. Alors je me suis promenée dans la pièce en feignant d'étudier les prospectus encadrés au mur, des échantillons du travail de l'imprimeur. Après quelques minutes d'attente, nous avons entendu le roulement tonitruant d'un chariot.

– Et voilà, les enfants ! a lancé l'imprimeur. Je vous rends votre CD et la facture.

Seth a insisté pour ouvrir un carton et inspecter le contenu. Il a feuilleté un exemplaire du magazine, l'a

211

soupesé, a fait claquer les pages pour vérifier la qualité du papier et étudié la couverture à travers une loupe qui traînait sur un guichet. Je n'ai pas pu m'empêcher de lever les yeux au ciel. L'imprimeur m'a répondu par un clin d'œil.

– Est-ce que le résultat vous convient ? a-t-il demandé à Seth.

– Tout est parfait, a confirmé celui-ci une fois son examen terminé.

Seth a poussé notre commande jusqu'à la voiture tandis que je veillais à l'équilibre de la pyramide, puis nous avons chargé le coffre. Les cartons étaient plus lourds qu'il n'y paraissait.

– Plie les genoux, m'a expliqué Seth. Sers-toi de tes jambes, pas du dos.

Sur le chemin du lycée, je me suis décidée à découvrir si Seth était l'auteur du sonnet épinglé à mon arbre. J'espérais que non. Dans le cas contraire, il me surprendrait agréablement.

– Seth, est-ce que tu as déjà écrit des sonnets ?

– Oh, oui, des tas ! J'en ai publié un dans le numéro d'été de *Voile vers Byzance*, tu ne te souviens pas ? Mon dernier parlait de responsabilité morale. Je l'ai rédigé en octobre pour l'atelier d'écriture de Madame Nettleton. Pourquoi ? Tu en écris un ? Tu veux que je te relise et que je te donne des conseils ? C'est une forme délicate, mais ça s'apprend.

Seth, ai-je conclu avec un soupir de soulagement, n'était pas notre discret visiteur nocturne. Le sonnet du chêne datait forcément de ces derniers jours, puisque l'auteur faisait référence à la neige. Et si Seth l'avait écrit, il n'aurait pas raté une occasion de s'en vanter.

Après avoir déposé les cartons dans le bureau du département d'anglais (Mme Nettleton avait accordé une suprême faveur à Seth en lui confiant sa clé d'ascenseur), il m'a demandé :

– Tu veux t'arrêter au Java Jail ? Il n'est que quatre heures et demie. Il nous reste plein de temps à tuer avant d'aller chez ton père. Viens, on va prendre un mokaccino pour fêter ça !

– D'accord, ai-je dit à contrecœur. Mais juste un.

Le Java Jail était bondé. Je me suis jetée sur une table bancale et exposée aux courants d'air près de la porte, la seule disponible, pendant que Seth passait commande au comptoir.

En regardant autour de moi, j'ai repéré des uniformes de Forefield un peu partout. J'ai prié pour ne pas tomber sur une connaissance. Je n'avais aucune envie d'être vue avec Seth.

Il est revenu avec nos boissons fumantes.

– Tiens.

Il a décalé sa chaise près de la mienne et a levé son gobelet en carton dans son manchon plissé.

– Je propose de porter un toast à *Voile vers Byzance*, le magazine qui nous a rapprochés !

Alors que je m'apprêtais à trinquer, j'ai senti un souffle glacial sur ma nuque. Mauvais pressentiment ? Vent d'hiver ? Incapable de soutenir le regard de Seth, j'ai

213

détourné les yeux... et j'ai rencontré ceux de Grandison Parr, qui se tenait sur le pas de la porte.

– Bonjour, Julia, a-t-il dit avec un sourire poli.

– Parr ! Qu'est-ce que... Je croyais que vous étiez en période d'examens ?

– Ils se terminaient ce matin. On a quartier libre cette après-midi, histoire de décompresser.

Seth a toussoté.

– Oh ! pardon ! Seth Young, voici Grandison Parr. Seth et moi... nous... nous travaillons ensemble pour le magazine littéraire du lycée... Il est dans mon cours d'anglais et on...

Ma voix s'est asséchée.

– Très honoré, a déclaré Seth d'un air pincé, comme s'il tenait à prouver que ses manières pouvaient être aussi chichiteuses que celles d'un garçon du privé.

Parr lui a serré la main.

– Enchanté. Et pardon d'avoir interrompu votre conversation.

Il a arboré un autre sourire courtois avant de s'enfoncer vers le fond du café.

Ai-je eu tort de ne pas l'inviter à se joindre à nous ? Je ne supportais pas l'idée de le voir côte à côte avec Seth (surtout avec un Seth au sommet de sa forme et plus ridicule que jamais). Qu'en aurait-il déduit sur moi ? Mon mokaccino m'écorchait la bouche. J'ai bougé ma chaise de façon à tourner le dos à Parr. Jusqu'à notre départ, mes omoplates ont chauffé aussi fort qu'une ville incendiée.

Bien sûr, mon père rentrait dans le garage juste au moment où nous sommes arrivés. Il est resté à côté de la porte pour regarder Seth réaliser un créneau aussi irréprochable qu'inutile.

– Entrez, a-t-il dit. Seth, je suppose ? Tu restes souper, n'est-ce pas ?

– Oh, oui, merci, a répondu celui-ci en lui emboîtant le pas.

– Amy, je te présente l'ami de Julie, Seth.

– Ravi de vous rencontrer, Madame Lefkowitz.

– Bonjour, Seth. Je suis contente de t'avoir à dîner, a affirmé l'Irrésistible. J'ai mis un gigot au four. Il est bien assez gros pour nous quatre. (Elle s'est tournée vers moi.) Et j'ai préparé cette sauce à la menthe que tu adores, mon chou, avec de la menthe fraîche de la serre des Liu.

L'évocation de la serre des Liu m'a achevée.

Pendant que je me forçais à manger, Seth a régalé papa et Amy des détails de nos responsabilités au magazine et de mes progrès dans l'estime de Mme Nettleton. J'ai vu mon père et ma belle-mère enfler d'orgueil, comme le matelas pneumatique de Tati Ruth. (Mettraient-ils plus ou moins longtemps à se dégonfler ? Telle était la question.)

– Seth, tu ne devrais pas rentrer ? ai-je suggéré sitôt le dîner terminé. Tu n'as pas une heure limite à respecter avec le Permis Anticipé ?

– Si, tu as raison : 21 h 00, a-t-il avoué avec réticence. Merci pour le repas, Madame Lefkowitz, c'était succulent. Julie, tu m'accompagnes jusqu'à la voiture ?

L'invitation de mon père avait clairement boosté sa confiance. J'étais sûre qu'il tenterait de m'embrasser une fois dehors.

– Pas de chaussures, ai-je objecté en remuant mes orteils.

Je suis restée vissée sur ma chaise pendant qu'Amy lui montrait la sortie.

– Merci encore, Madame Lefkowitz. À demain, Julie.

– Quel jeune homme charmant ! Et beau aussi, a décrété Amy après avoir refermé la porte. Petite cachottière, c'est pour ses beaux yeux que tu as rejoint l'équipe du magazine, hein ? Pourquoi ne nous avais-tu rien dit ?

Chapitre 18

Première publication de l'auteur.
– Une intervention malheureuse d'Ashleigh.
– Nouvelle visite nocturne. – Un quatrain.

Ma fidèle Ashleigh a acheté quatre exemplaires de *Voile vers Byzance* : un pour elle, un pour chacun de ses parents et un, m'a-t-elle dit, pour Ned. Je n'ai pas osé lui demander de me rendre le dernier (ç'aurait été le comble de l'ingratitude !), mais j'aurais préféré qu'elle s'abstienne. Le comité éditorial avait retenu un de mes poèmes, qui me semblait maintenant un brin trop personnel, trop ouvert à l'interprétation, trop révélateur. Il l'avait publié sous mes initiales, mais je craignais que mes camarades ne m'identifient trop facilement. Ashleigh avait déjà deviné. Je vous épargne les détails mais, en gros, imaginez ce qu'une fille un peu sensible aurait pu écrire dans ses premiers émois, juste après avoir rencontré l'homme qui devait devenir l'Objet de Toutes Ses Pensées. En plus, les rimes boitaient.

– Mais pas du tout ! Je le trouve magnifique ! a insisté Ashleigh en tendant ses dix-neuf dollars. Un hommage digne de... d'accord, d'accord, ne me frappe pas. Je ne prononcerai pas son nom. Mais je ne comprends toujours pas pourquoi tu t'entêtes à nier tes sentiments. Ton poème est un million de fois supérieur aux trois essais de Seth. Au moins, il est sincère. À ce propos, désolée de ne pas avoir pu te chaperonner hier. Comment ça s'est passé ?

– Oh ! ne m'en parle pas. Ash, c'était affreux ! Il a réussi à charmer papa et à se faire inviter à dîner. Et maintenant, il se prend pour mon petit ami.

– Comment c'est possible, ça ?

– Il doit s'imaginer que c'est comme décrocher le permis, avoir des bonnes notes ou devenir le chouchou de l'amiral. Si tu suis les instructions, c'est dans la poche.

– Et si tu lui disais que tu as déjà un copain ?

– Oh, je ne sais pas... J'y ai pensé, mais ça m'embête de lui mentir.

– Ce n'est pas vraiment un mensonge. Au rythme où tu vas, tu auras bientôt un copain.

– Au rythme où je vais, je finirai par sortir avec Seth. Honnêtement, je ne pige pas. Qu'est-ce qui lui plaît chez moi ? Si j'étais un garçon, je ne me regarderais pas une seule seconde. Je suis tellement grande et empotée.

– Eh, ne parle pas comme ça de ma meilleure amie ! Tu es splendide ! Tu ressembles à un mannequin, sans le côté haricot qui a poussé trop vite. Un top model en plus normal et plus accessible. Et puis tu as un caractère charmant que les garçons trouvent... ben, charmant. Tu es toujours partante. Ce qu'il te faut maintenant, c'est que le bon garçon te tende la perche.

J'ai recommencé à voir le Bon Garçon régulièrement

à partir de cette semaine-là. Les répétitions ont repris sur les chapeaux de roue : la grande première du 2 février approchait à grands pas. Mais au lieu d'une perche, je n'ai obtenu de sa part qu'une attitude polie et pleine de réserve, tout de même agrémentée à l'occasion par ses regards brûlants.

Un soir, alors que nous faisions nos devoirs dans sa chambre bien chauffée, Ashleigh m'a demandé :

– Ned ne s'est toujours pas déclaré ?

Elle grattait négligemment Juniper derrière les oreilles. Il n'était plus un chaton, mais un grand matou musclé maintenant.

– À propos de quoi ?

– Eh bien... tu sais... de ses sentiments, de ses intentions ? Je suis surprise qu'il n'ait rien tenté depuis le temps. Je lui ai lancé une allusion à peine voilée la semaine dernière.

– Ashleigh ! C'est pas vrai ! Qu'est-ce... qu'est-ce que tu lui as dit ?

– Je lui ai conseillé de se bouger les fesses s'il ne voulait pas rater sa chance parce qu'il avait un concurrent sérieux.

– Ash ! Je vais te tuer ! Pourquoi tu m'as fait ça ?

– Désolée, mais je ne supportais plus de te voir attendre et attendre. Tout ce suspense, ça me rendait dingue, moi aussi.

– Combien de fois faut-il que je te le répète ? Oh, et puis laisse tomber. Ça ne sert à rien. C'est fini, je vais mourir de honte..., ai-je gémi, la tête entre les mains. Qu'est-ce qu'il a répondu ?

– Rien. Il est aussi timide que toi. Mais Parr a demandé si je faisais référence au type du magazine littéraire. J'ai dit oui. Comment il connaît Seth ? Tu ne m'avais pas dit qu'ils s'étaient rencontrés.

Quelle humiliation !

J'avais envie de l'étrangler, même si ce n'était pas entièrement sa faute puisqu'elle ignorait ce que j'éprouvais pour Parr. J'ai essayé de considérer le bon côté des choses : je voulais leur cacher la vérité à tout prix ? Eh bien, j'avais réussi ! Ashleigh, du moins, ne remarquait rien. Mais Parr ne se doutait-il pas un tout petit peu de mes sentiments profonds pour lui ? Il avait dû s'en apercevoir à mon regard, c'était forcé ! Se montrait-il distant ces jours-ci justement parce qu'il s'en était rendu compte et qu'il ne partageait pas mes émotions ? Ou n'avait-il vraiment rien compris ? Et s'il se figurait que je sortais avec Seth ? Horreur !

J'aurais voulu m'expliquer auprès de lui, mais comment m'y prendre ? Lui affirmer de but en blanc que je n'aimais pas Seth pourrait sembler présomptueux : cela supposerait qu'il en avait quelque chose à faire. Et puis je ne devais pas oublier les espoirs d'Ashleigh.

À deux reprises j'ai tenté de l'aborder pendant la pause, au milieu des répétitions. En vain : je n'y arrivais pas.

La production avançait à fond de train. M. Hatchek, le prof d'arts plastiques de Forefield, avait branché toute sa classe de troisième sur les toiles de fond. Les costumes se composaient pour l'essentiel de vêtements de ville normaux (c'est-à-dire normaux partout ailleurs qu'à Forefield, où ils offraient par contraste une vision exotique). Habiller les acteurs en jeans miteux a provoqué beaucoup plus de remous qu'on ne pourrait le penser. J'allais régulièrement chez les Gerard pour aider Yvette à préparer sa sœur afin qu'elle soit opérationnelle une fois la punition levée. Yolanda a pris le risque de se pointer en répétition une fois par semaine, pendant que sa jumelle la couvrait à la maison. Elles s'étaient fixé pour objectif de tenir le rôle chacune leur tour dans les deux représentations programmées de la pièce.

Une nuit, vers la fin du mois de janvier, je me suis réveillée en sursaut. Il avait beaucoup neigé la semaine précédente. Des congères s'étaient formées au pied de notre chêne jusqu'à hauteur des hanches, même du côté le mieux abrité du tronc. Un gros animal devait s'emmêler les pattes entre les racines et les branches invisibles. Je l'entendais, le pauvre, tomber et retomber. J'ai remonté la couette sur mes épaules et j'ai ouvert la fenêtre pour jeter un œil.

Des flocons épais tourbillonnaient. En scrutant au travers, j'ai pu constater que l'intrus n'était pas un cerf.

– Ashleigh, c'est toi ? ai-je appelé à voix basse.

La silhouette a levé la tête.

– Julia ?

221

– Qui est là ?

– C'est moi... Grandison. Je-je ne voulais pas te-te réveiller.

– Grandison ! Qu'est-ce que tu fais là ?

– Je-je suis enfermé de-dehors. J'espérais qu-que... peut-être...

Ses dents claquaient si fort qu'il avait du mal à articuler.

– Tu es gelé ! Tu ferais mieux de monter. Tu crois que tu peux grimper par l'arbre ? Méfie-toi, ça glisse à cause de la glace. Tu préfères que je descende t'ouvrir la porte ?

– Non, ça – ça va aller.

Il s'est élevé de branche en branche avec une grâce surprenante. Des paquets de neige tombaient autour de lui et s'écrasaient lourdement sur la congère.

Je lui ai tendu la main pour l'aider à passer par la fenêtre puis j'ai vite refermé derrière lui. Ses gants et les manches de son manteau étaient trempés. L'atmosphère de ma chambre, quoique plus sèche, était à peine plus chaude que l'air du dehors. Il est resté debout à côté de la fenêtre, tout tremblotant dans ses habits qui gouttaient par terre.

Grandison Parr dans ma chambre !

Parr dans ma chambre, et moi dans mon affreux pyjama en pilou, avec mon bonnet de nuit tout droit sorti d'un vieux conte de Noël, des mèches de cheveux qui s'échappaient de ma tresse et mes chaussons en peluche roses, un cadeau d'Amy dont je me serais débarrassée depuis longtemps s'il ne protégeait pas si bien mes pieds

222

du froid diabolique. Je me suis dépêchée d'ôter mon couvre-chef ridicule et j'ai allumé la lumière.

Nous nous sommes dévisagés en clignant des yeux. Son visage était rouge et blanc.

– Tu dégoulines. Tu ferais mieux d'enlever tes vêtements.

J'ai pris son manteau, son chapeau et son écharpe pour les mettre à égoutter dans le débarras. J'ai posé ses bottes à l'envers sur le séchoir à pommes et je lui ai rapporté une serviette.

– Je suis dé-désolé de dé-débarquer co-comme ça.

– On gèle ici, hein ?

J'ai touché son bras : la manche de son pull aussi était humide.

– Je vais te chercher des affaires sèches.

J'ai fouillé dans mes tiroirs et j'en ai sorti un bas de jogging, un t-shirt et un pull. Pour une fois que ma taille de grande duduche me rendait service !

– Tiens, je crois qu'elles devraient t'aller. Entre là-dedans et enfile-les.

Quand il est revenu du débarras, il frissonnait toujours violemment. Ses lèvres étaient bleues. Je lui ai tendu la couette.

– M-merci, Julia. Vraiment p-pardon de l'intrusion...

– Comment tu t'es retrouvé ici ?

– Je-j'étais enfermé à l'extérieur du campus et il faisait vraiment un temps de chien. Je ne savais pas où aller. Tu es un ange. Merci pour la tenue. Je vais attendre un peu que ça se calme dehors et puis je rentrerai.

223

– Mais comment vas-tu rentrer ?

– Comment ? Oh... Euh, il y a un endroit par où on peut sauter par-dessus le mur. Mes... mes mains étaient trop engourdies quand j'ai essayé tout à l'heure. Mais je suis déjà un peu réchauffé.

– Tu plaisantes ? Refaire tout le chemin à Forefield dans cette neige, avec ton manteau mouillé sur le dos ? Tu vas te transformer en glaçon ! Tu n'arriveras pas mieux à escalader le mur que tout à l'heure. Ils doivent bien rouvrir la grille le matin ? Tu fe-ferais mieux de rester ici jusqu'à l'aube.

– Oh, non... maintenant c'est toi qui grelottes ! Tiens, reprends ça.

Il a tenté de m'envelopper dans la couette mais j'ai résisté.

– Tu en as da-davantage besoin que moi.

Entre la température et sa présence, je me demandais ce qui me faisait le plus trembler.

– Elle est assez grande pour deux, a-t-il affirmé en passant un bras autour de mes épaules.

Sa main gelée a tiédi peu à peu au contact de ma peau. J'adorais son odeur d'écorce et de cheveux mouillés, l'intensité qui se dégageait de lui. Mes joues brûlaient. C'en était même étonnant qu'elles ne suffisent pas à réchauffer la pièce, voire la maison.

– Julia, je ferais mieux d'y aller, a-t-il murmuré au bout d'un moment. Je ne peux pas squatter ta chambre toute la nuit. Il faut que tu dormes. Ne t'inquiète pas pour moi.

La galanterie vous ferait commettre de ces folies !

– Non. Tu vas attraper des engelures. Je te garde ici. Tu peux prendre mon lit et je dormirai en bas sur le canapé.

– Si quelqu'un doit dormir sur le canapé, c'est moi.

– Impossible : ma mère va avoir une crise cardiaque en se levant.

– Et elle ne risque pas de se poser des questions si tu dors sur le canapé ?

J'ai réfléchi. Si maman me voyait roupiller dans le salon, elle mourrait de culpabilité. Elle insisterait pour remonter le thermostat jusqu'à la fin de l'hiver, ce qui grèverait notre budget de façon dramatique. Cependant, je n'avais pas assez de couvertures pour deux dans la chambre.

– Je te l'avais bien dit : ça ne peut pas marcher, a-t-il ajouté. Où as-tu mis mes bottes ?

– Je ne te les rendrai pas. Tu ne vas nulle part. Nous dormirons ici tous les deux, dans mon lit.

– Oh, non, a-t-il protesté. Je ne peux pas faire ça.

– Pas de panique, tu ne risques rien. Je laisserai sagement mes mains au fond de mes poches.

Il a ouvert la bouche, avant de se raviser. Nous avons bordé la couette en silence. Je me suis glissée dans les draps. Il a éteint la lumière puis il m'a rejointe en se tenant le plus près possible du bord. Malgré ses efforts, nos épaules se touchaient.

– Tu es à l'aise ? Je ne prends pas trop de place ?

– Ça va.

– Tu frissonnes encore. Tu es sûre que tu as assez chaud ?

– Oui, je vais très bien. Je suis habituée au froid. Et toi ?

Je ne pouvais pas faire grand-chose d'autre pour lui, de toute façon. À part le serrer dans mes bras, peut-être ? Tremblante, je me suis tournée face au mur et nos épaules se sont séparées.

– Oui. Je me sens un peu honteux, mais en dehors de ça, je suis bien au chaud. Bonne nuit, Julia. Et merci.

– Bonne nuit, Grandison.

Pendant longtemps, nous sommes restés ainsi, dos à dos. Je sentais couler entre nous un flot de lave en fusion de quelques millimètres de large seulement. Les couvertures se soulevaient avec sa respiration. Est-ce qu'il dormait ? Je ne voyais pas comment. À quoi pensait-il ? J'avais envie de me retourner, de l'enlacer et de humer son odeur. Je voulais me pelotonner, me recroqueviller, et puis disparaître, loin de lui et loin de tout. Je voulais que cette nuit dure toute la vie, qu'elle soit éternelle et sans conséquences.

Un long moment après, la sensation d'un souffle chaud et régulier sur mon oreille m'a tirée du sommeil. Une douce tiédeur régnait dans ma chambre d'ordinaire si froide. Il m'a fallu quelques secondes pour me rappeler qui se trouvait là. Parr s'était retourné pendant la nuit. Il avait posé son bras sur ma taille et ses genoux pliés étaient emboîtés dans les miens. Son torse se gonflait et s'abaissait contre mon dos au rythme de sa respiration profonde. Je me suis rendormie comme une bienheureuse.

Je n'ai rouvert les paupières que dans la lueur grise de l'aube. Il avait cessé de neiger. Parr était debout à côté du lit, habillé, chaussé de ses bottes et le manteau à la main.

– Oh, mer... Je ne voulais pas te réveiller encore, a-t-il chuchoté.

– Quelle heure est-il ?

– Six heures. La grille devrait être ouverte à mon retour.

– Tu as trouvé tes bottes.

– Oui, tu les avais pourtant bien cachées. Merci, Julia. Tu es la meilleure.

Il m'a offert son plus beau sourire, illuminé par le turquoise de ses yeux et soutenu par la fossette de son menton.

– Fais attention en descendant de l'arbre.

– Promis.

Il a délicatement soulevé la pointe de ma tresse et l'a embrassée, tel un gentleman baisant la main d'une dame.

– Au revoir, Raiponce.

Je me suis réveillée pour la troisième fois une heure plus tard en rêvant que j'embrassais quelqu'un. Alors... avais-je tout imaginé ?

Apparemment non. J'ai aperçu, épinglée à mon tableau, juste sous le sonnet, la petite note suivante :

Généreuse Julia
Port dans la tempête
Douce et secrète
Gracieuse Julia

L'écriture me paraissait familière. Et pour cause : c'était la même que celle du sonnet. J'avais raison : Parr et le mystérieux poète ne faisaient qu'un !

Ça ne me disait pas à qui était destinée sa déclaration d'amour en vers. À moi ? Dans ce cas, il devait être très déçu, ai-je pensé en riant tout bas. J'ai relu le sonnet : « mon soleil, ma Juliette... là-haut, c'est Papeete. » Ha ! C'était plutôt la Sibérie.

La Sibérie dans ma chambre ; mais pas dans mon lit, pas dans ses bras.

Pendant quelques minutes, je suis restée figée, la brosse en l'air, à fixer le mur devant moi en rêvant de ses bras qui m'enlaçaient... jusqu'à ce qu'un cri m'arrache à ma contemplation :

– Julie ! Julie, tu es debout ? Il est presque huit heures.

Chapitre 19

Une chanson. – Un effroyable scandale.
– Mme Gould accepte un nouveau travail.
– Une discussion embarrassante. – Coup de théâtre.

J'ai sauté dans le bus *in extremis*.

– Jules, j'ai une surprise pour toi ! s'est écriée Ashleigh.

– Qu'est-ce que c'est ?

– As-tu réalisé qu'une fois les représentations terminées, on devrait dire adieu à Forefield ?

– Oui, ça m'avait traversé l'esprit.

En réalité, je n'arrêtais pas d'y penser. Ce matin-là, cette perspective était particulièrement insupportable.

– Alors Ned et moi, on a cherché une solution et... ta-daaam !

Elle a sorti un bout de papier parmi les feuilles à moitié détachées de son classeur et me l'a tendu fièrement.

– C'est quoi ?

– Regarde !

Il s'agissait d'une partition. Les paroles sous la portée étaient extraites de mon poème publié dans *Voile vers Byzance*.

– Waouh, Ashleigh ! C'est toi qui as écrit ça ?

– Oui. Enfin, en grande partie. Ned m'a aidée.

– C'est génial.

J'ai tenté de fredonner l'air. Malheureusement je ne suis pas très douée en lecture de notes. Ashleigh me l'a chantée.

– La mélodie est très jolie, Ash. Je suis vraiment impressionnée. Mais en quoi ça résout notre problème ?

– Ned m'a proposé de collaborer avec lui autour d'un cycle de chansons. Celle-ci est la première. Madame Wilson est d'accord ! Je vais aller à Forefield toutes les semaines. Écris les paroles, comme ça tu pourras m'accompagner.

– C'est quoi, un cycle de chansons ?

– Ben, tu sais... plusieurs chansons. Dans un autre lycée, on aurait monté un groupe, tout simplement. Évidemment, à Forefield, ils font les choses de façon plus classe et officielle. Inclure des lycéens de Byz High dans certains de leurs programmes est censé les aider à améliorer leurs relations avec la ville. Ils appellent ça la « collaboration de proximité ». En tout cas, on va travailler avec Ned sur les chansons et on aura plein d'occasions de croiser les garçons. C'est pas génial, ça ?

Je n'ai pas écouté grand-chose en cours ce jour-là. Je flottais sur un petit nuage. Deux fois, M. Klamp a aboyé :

– Julie, secoue-toi !

Puis il a capitulé. Mme Nettleton m'a ordonné de lire à voix haute et je me suis exécutée ; mais je n'ai aucun souvenir du passage que j'ai lu à la classe, en dehors du fait que c'était un extrait d'*Orgueil et préjugés*. Je revivais, encore et encore, les événements de la nuit précédente. Combien de temps avais-je dormi ? Combien de précieuses heures avais-je gâchées ? Que signifiait cette histoire ?

Mon cœur s'est emballé comme jamais dans la voiture qui nous conduisait à Forefield ce jour-là. Sitôt entrée dans la salle, j'ai aperçu Parr. Il se tenait près de la scène, face aux portes. On aurait dit qu'il me guettait. Il m'a fixée droit dans les yeux et m'a souri. J'ai soutenu son regard intense aussi longtemps que je le pouvais, avant de baisser la tête en rougissant.

Une rumeur confuse grondait dans le théâtre, en harmonie avec mes tympans vrombissants. Nos camarades comédiens paraissaient survoltés.

– Vous êtes au courant pour le désastre, les filles ? s'est écriée Emma.

– Quel désastre ? s'est enquise Ashleigh.

– Les décors, a expliqué Ravi. Monsieur Hatchek s'est fait virer. Il les avait à peine commencés et personne ne retrouve ses croquis.

– Pourquoi il s'est fait virer ? ai-je demandé.

Chris, affalé un peu plus loin, feignait d'écouter la conversation d'une oreille distraite, comme si elle ne méritait pas son entière attention.

– À cause d'un effroyable scandale, a-t-il déclaré d'un ton nonchalant, où perçait néanmoins un brin de satisfaction.

– De quoi vous parlez ?

231

– Personne ne sait ce qui s'est passé, en réalité. À part l'administration, j'imagine. Tout le monde est parti dans des spéculations... Les cinquièmes pensent qu'il a détourné les fonds qui servent à acheter les fournitures d'arts plastiques et que c'est sa faute s'il n'y a jamais de fusain.

– En tout cas, les troisièmes n'ont plus cours d'arts plastiques en attendant le nouveau prof, a ajouté Ravi.

– Et les décors ? La première a lieu quasiment la semaine prochaine ! s'est exclamée Ashleigh.

– On se contentera d'une scénographie minimaliste. Une scène vide, pas de rideau. Il faudra suggérer les décors par notre jeu et compter sur l'imagination du public.

– À moins que le nouveau prof parvienne à leur donner forme en quelques jours. Pour ça, il faudrait déjà que l'école ait un candidat, est intervenu Parr.

Il venait de se matérialiser à côté de moi. Comment était-il arrivé là ? Mon pouls a accéléré de plus belle au son de sa voix. Je n'ai pas pu m'empêcher de me pencher un peu vers lui. Terminé de simuler l'indifférence, tant pis ! Nos bras se sont frôlés.

– Changez de disque, les enfants, d'accord ? a tonné le doyen Hanson en se dressant au centre de l'attroupement. Il n'y a pas de scandale, même si nous cherchons effectivement un autre professeur d'arts plastiques.

– Alors on aura des décors différents ou on reprendra les anciens ? s'est renseignée Emma.

– Il appartient au futur professeur d'en décider, pour

peu qu'il soit recruté cette semaine. Ne comptez pas trop dessus, cela dit. Trouver une personne qualifiée en quelques jours à cette époque de l'année, ça n'est guère simple.

– Jules ! Pourquoi pas ta mère ? a suggéré Ashleigh.

– Qui ? Maman ? ai-je lâché bêtement.

– Oui. Elle a un diplôme d'arts plastiques, non ?

– Très juste. Et elle a été prof longtemps avant d'épouser mon père.

– Vraiment, Julie ? Dans ce cas, priez-la de m'envoyer son C.V. dès que possible, m'a dit le doyen. Et maintenant, au boulot !

Le samedi, je suis allée assister à une lecture dans une librairie du centre-ville avec Seth. J'avais accepté de m'y rendre croyant que d'autres membres du comité éditorial seraient là, mais je n'ai aperçu que Mme Nettleton. L'auteur du roman, une petite personne nerveuse dotée d'une tête hypertrophiée et de mains minuscules, lisait un chapitre où la mère du narrateur, atteinte d'un cancer en phase terminale, se rappelait en détails son aventure passionnée avec un résistant français blessé durant la Seconde Guerre mondiale. Seth l'écoutait d'un air captivé, assis sur sa chaise pliante, innocemment incliné vers moi. Il se figurait peut-être que ce sujet me mettrait d'humeur ?

Tandis que le récit quittait la chambre de la malade pour se perdre dans la campagne française, mon esprit a commencé lui aussi à vagabonder. Il s'est attardé sur de délicieux souvenirs liés à ma mansarde, avant de voyager jusqu'au théâtre de Forefield. C'est alors que je me suis rendue compte en sursautant que j'avais laissé ma copie annotée de *L'Insomnie* sur le piano. Ned s'en était servi pour griffonner des modifications en répétition. J'avais promis d'y jeter un œil avec Ashleigh. À moins qu'il ait eu le temps de les reporter sur son exemplaire, je possédais la seule version à jour.

Seth accepterait-il de m'emmener là-bas pour que je la récupère ? L'expédition comportait quand même un gros risque : tomber sur une connaissance. Angoissée à l'idée qu'on me voie avec lui, j'ai renoncé à lui demander ce service. Je n'aurais qu'à présenter mes excuses à Ashleigh ; quant aux corrections, elles attendraient la semaine suivante.

À la fin de la lecture, je me suis arrangée pour que Seth me dépose chez les Liu, de peur que papa et Amy le réinvitent à dîner.

– Tu sors d'un rendez-vous amoureux ? C'était chaud ? m'a demandé Samantha en voyant la voiture s'éloigner.

J'ai fait la grimace.

– Non, dieu merci. On revient d'une lecture et l'amiral Nettleton était présente.

– Tu pourrais lui dire que tu ne l'aimes pas, quand même.

– Il est gentil et je ne veux pas le blesser.

Sam a secoué la tête.

– Tu vas être dégoûtée quand tu vas savoir qui tu viens de louper. Tu as reçu de la visite. Demande à ton père.

À mon arrivée, Papa a levé les yeux sans bouger d'un centimètre.

– J'ai cru reconnaître la Volvo de Seth, non ? Pourquoi ne l'as-tu pas fait entrer ?

– Ses parents l'attendaient chez lui.

– Quel dommage. Oh, avant que j'oublie, un ami à toi est passé. Grant, ou quelque chose dans ce genre. Je me suis permis de l'informer que tu étais en ville avec ton petit ami. Il m'a donné ça. Apparemment, tu l'avais laissé au lycée.

Il m'a tendu ma copie de *L'Insomnie*.

Mon premier réflexe me poussait à envoyer un mail à Parr. Mais pour écrire quoi ? « Mon père se trompe : je ne sors pas avec Seth. C'est toi que j'aime. Malheureusement, Ashleigh est folle de toi aussi, par conséquent mes lèvres sont scellées à jamais » ? À défaut, je me suis défoulée en bourrant de coups de pied les oreillers moelleux qu'Amy avait fabriqués pour mon nouveau lit, avant de faire des confettis du prospectus de la librairie.

Ma mère a démissionné de Nick-Nack. Deux jours plus tard, elle prenait son poste à Forefield. Elle s'est mise à siffloter dans la maison à longueur de soirée, surtout des airs de notre comédie musicale. Ça me faisait chaud au cœur de la voir de nouveau si heureuse.

Comme elle ne disposait que d'un délai très court, elle s'est débarrassée des dessins compliqués de M. Hatchek et les a remplacés par de simples toiles de couleurs : gris ardoise et blanc pour le labo, le jaune de rigueur pour la salle de classe et vert feuille pour la forêt magique. Elle a collaboré avec l'équipe de choc des troisièmes ainsi qu'avec Mark, le régisseur, et ses techniciens pour créer une atmosphère magique grâce à des diffuseurs, des écrans opaques ou transparents selon la façon dont la lumière tombait dessus. Je ne suis peut-être pas très objective, mais j'estimais que ses décors rendaient beaucoup mieux que les panneaux tarabiscotés de M. Hatchek.

Je n'étais pas la seule à approuver le résultat. Tout le monde dans la petite troupe appréciait maman, surtout Alcott Fish. Il s'est aussitôt amouraché d'elle. Dès qu'elle s'approchait, il virait au rose et sa voix s'envolait dans les aigus. Nous en rigolions en cachette, Ashleigh et moi, mais pas question de lui montrer que nous avions percé son secret.

La participation de maman présentait quand même un inconvénient : nous n'avions plus l'occasion de bavarder avec les garçons en attendant qu'on vienne nous chercher. Elle nous ramenait à la maison dès les séances terminées. Du coup, les tête-à-tête avec Parr se faisaient très rares. D'un autre côté, ma compagnie ne semblait pas vraiment lui manquer.

Prise dans un tourbillon d'activités impersonnelles, je voyais s'évaporer les heures précieuses qui nous réunissaient, peut-être pour la dernière fois.

Le mardi suivant, Amy est arrivée un peu plus tôt que d'habitude à Forefield. Ma mère et elle ont échangé quelques civilités glaciales. Dans la voiture, l'I.C. m'a fait part de son étonnement.

– Helen avait oublié qu'on était mardi ? m'a-t-elle demandé.

Je lui ai appris que maman avait retrouvé un poste d'enseignante.

– Tant mieux pour elle ! Je me demandais justement quand elle se déciderait à prendre un vrai boulot. J'espère qu'elle a l'intention de le dire vite à ton père. Je crois que leur accord prévoit qu'elle l'informe de tout changement de revenu dans les soixante jours.

– Évidemment ! Ce n'était que son troisième jour. Est-ce qu'elle a déjà essayé de te piquer un truc qui t'appartenait ?

– Grumpf, a marmonné l'Irrésistible.

Nous sommes restées muettes jusqu'à la fin du trajet.

Après le dîner, mon père s'est raclé la gorge et a prononcé le speech suivant :

– Julie, maintenant que tu as un petit ami, il y a quelque chose dont nous voudrions te parler, Amy et moi. Je sais que Seth est un jeune homme sérieux et digne de confiance. Je pense aussi que nous t'avons inculqué le sens des responsabilités au fil des années. Et, bien entendu, tu es encore très jeune. Si nous avons accompli notre travail correctement, tu n'auras pas besoin de ces informations avant très longtemps. Cependant, il est de mon devoir de médecin et de parent – de notre devoir de parents, s'est-il corrigé en adressant un sourire mielleux

237

à son épouse, qui le lui a retourné, de nous assurer que tu comprennes bien, etc. etc.

J'ai eu droit – je n'en reviens toujours pas – au topo sur la contraception.

C'était le quatrième dans l'ordre chronologique : maman m'avait déjà fait le coup plusieurs années avant, quand j'avais eu mes règles ; le sujet avait été abordé deux années de suite en cours de Santé et Hygiène, la seconde fois avec des accessoires, dont une banane. Maman conservait un paquet de préservatifs dans ce que j'appelais le Coin Honteux de la salle de bains, « en espérant bien que je n'en aurais pas besoin mais pour le cas où ». Elle le changeait régulièrement à la date d'expiration (j'ai vérifié).

En entendant le nom de Seth associé à ce sujet, j'ai réprimé des nausées. J'ai prié pour que le sol s'ouvre et m'engloutisse, pour changer. Et pour changer, il n'a pas obtempéré.

La répétition générale nous est tombée dessus sans crier gare. Je me suis réveillée avec des heures d'avance ce matin-là. Impossible de me rendormir. Le lendemain, je chanterais en public.

J'éprouvais un horrible pressentiment – le trac, sans doute. Je l'ai écarté de mon esprit et j'ai enfilé ma bague porte-bonheur.

Mais un premier indice est venu confirmer que quelque chose d'anormal s'était produit. En salle d'études,

Yolanda, étonnamment muette, essuyait des larmes sur ses joues de ses doigts fins.

– Yo, ai-je dit d'un ton hésitant (elle paraissait presque assez calme pour être Yvette), qu'est-ce qui ne va pas ?

Elle a lâché un petit glapissement et ses pleurs ont redoublé d'intensité. Je l'ai tapotée dans le dos.

– Qu'est-ce qu'il y a ?

– Maman a surpris Yvette en train de se faire passer pour moi.

En effet, la situation était sérieuse. Chez les Gerard, on ne plaisantait pas avec ça. Jouer le rôle de sa sœur était un crime passible d'une privation de sortie.

– Oh, non... Vous êtes punies pour combien de temps cette fois ?

– Deux semaines entières, toutes les deux ! Nous allons rater la pièce.

Yvette a confirmé la terrible nouvelle au déjeuner.

– J'avais raison : on aurait dû aussi échanger nos vernis, s'est-elle lamentée d'un ton amer.

Yolanda s'est remise à sangloter.

– Mais maman ne s'en était jamais aperçue jusqu'à hier, a-t-elle répondu, la gorge serrée.

– Parce que tu n'avais jamais porté de vert avant hier.

Comment allait réagir Benjo ? Je frémissais rien que d'y penser. On ne pouvait même pas le prévenir : les élèves de Forefield n'avaient pas droit au portable, sauf à certaines heures du soir et du week-end.

Ashleigh lui a annoncé la nouvelle à notre arrivée. Il lui a fallu un moment pour comprendre, dans la mesure

239

où il ignorait jusqu'à l'existence d'Yvette, et *a fortiori* son rôle dans sa production. Plus il prenait conscience de la gravité du problème, plus son visage se crispait. Au bout d'un moment, il s'est ressaisi et a demandé d'un air raide :

– A-t-on une chance de convaincre les parents de Yolanda de revenir sur leur décision ?

– Peut-être que si Madame Wilson, le doyen, ou un autre adulte allait leur parler, ils changeraient d'avis ? a suggéré Ashleigh.

– Ou ma mère, ai-je proposé. Elle s'entend bien avec Madame Gerard.

Benjo a envoyé un cinquième chercher les adultes concernés.

– Quoi qu'il en soit, a-t-il ajouté, il nous faut une solution pour aujourd'hui. Julie, tu reprends le rôle de Tanya.

– Hein ? me suis-je étranglée.

– Tu vas jouer Tanya. Tu connais le texte par cœur, non ? Tu les as aidés à répéter. Tu es notre doublure officielle, tu ne le savais pas ?

– Mais... et mon rôle ? Qui va jouer le proviseur Lytle ?

– Ned peut s'en charger.

– Euh... Benjo ? a glissé Ashleigh. Ned est un garçon. Il a une voix de basse.

– Merci, je suis au courant. Madame Lytle va changer de sexe, c'est tout. Il connaît le rôle : et pour cause, il l'a écrit ! Bon, aidez-moi à réunir l'équipe pour que j'annonce les changements.

Aussi étonnant que cela puisse paraître, j'ai tardé à prendre la pleine mesure de ce que ces modifications impliquaient pour moi. C'est une phrase de Parr qui a provoqué le déclic :

– Alors... c'est Julia qui va interpréter Tanya ?

Chapitre 20

Le cinquième baiser. – Helen Gould à la rescousse (derechef). –
L'Insomnie d'une nuit d'hiver.
– Encore des fleurs de serre.
– Si douce est la tristesse de nos adieux.

Combien de fois avais-je rêvé d'embrasser Parr ? J'en rêvais partout, que je sois éveillée, endormie ou entre les deux (comme dans les limbes des cours d'histoire européenne, par exemple). Mais je n'avais jamais imaginé que notre premier baiser aurait lieu sur scène, devant l'équipe de *L'Insomnie d'une nuit d'hiver* au grand complet, dont ma mère, pendant la générale.

Évidemment, je n'ai pas pu mettre le costume de Tanya, taillé aux mensurations des jumelles. Il faudrait se contenter des habits que j'avais enfilés ce matin-là : un jean et un pull par-dessus un t-shirt à col échancré et manches longues.

À l'avant-scène, debout de trois quarts, je faisais tourner nerveusement ma bague fétiche sur mon pouce du côté opposé au public. Je contemplais une mer de sourcils froncés. L'inquiétude se lisait sur tous les visages. Allais-je me souvenir du texte ? Ma voix allait-elle porter ? Est-ce que j'allais gâcher le spectacle sur lequel ils avaient travaillé si dur ?

Au bout de quelques minutes, cependant, j'ai noté avec soulagement que les fronts se déplissaient : ouf ! je n'avais pas de trou. Mon jeu était certes beaucoup moins nuancé que celui des jumelles, ma voix à mille lieues de leur alto puissant, mais au moins, je ne ratais pas mon coup dans les grandes largeurs. Ma mère m'adressait des sourires encourageants. J'ai commencé à me décontracter un peu.

Un peu seulement. Car pendant que je déchaînais ma colère sur Parr, distribuais des ordres à Alcott Fish, tombais sous le sortilège de la fontaine empoisonnée et léchais les bottes de Kevin Rodriguez, je savais que le moment fatidique approchait, celui dont j'avais tant rêvé et qui allait survenir dans les circonstances les plus humiliantes possibles. Parr, qui m'évitait depuis des jours, était sur le point de m'embrasser, et en public par-dessus le marché. Ma gorge s'est asséchée. Ma voix a baissé jusqu'au murmure. Benjo a lancé :

– Parle plus fort, Julie ! On reprend à « Tu reconnais que tu t'es conduit comme un porc ? »

Plus moyen de repousser l'échéance. En Owen, Parr a admis ses erreurs. En Tanya, je les lui ai pardonnées. Il m'a attirée contre lui et...

Ai-je perçu une différence par rapport à Zach ? Autant comparer un carrousel à Space Mountain ! Ou les glissades en poêle à frire sur la petite butte derrière l'école primaire, à une descente en skis du mont Blanc.

Je ne regrettais pas d'avoir embrassé Zach. Grâce à

cette expérience, mon baiser sur scène, comme le reste de ma prestation, a été plutôt réussi. Mes lèvres ont rencontré celles de Parr du premier coup, sans déraper ni cogner, et le monde a cessé d'exister.

J'ai eu l'impression que cet instant durait une éternité. N'ayant pas entendu le public siffler ni huer, j'en ai toutefois déduit qu'une poignée de secondes seulement s'était écoulée. Puis j'ai rouvert les paupières. Les yeux de Parr étaient embrumés, son expression abandonnée. Il semblait aussi bouleversé que moi. Il a écrasé ma main gauche dans son poing droit, dissimulé par nos profils. J'ai entendu un *crac* puis j'ai senti ma bague en onyx se briser en deux et tomber de mon pouce.

Tout s'est enchaîné très vite. Alcott Fish est entré en scène côté cour. Parr a déclamé sa réplique suivante. Aussi faible qu'un chaton, je parlais et chantais comme un automate. Ce détail mis à part, la répétition s'est déroulée sans accroc jusqu'au grand finale.

À la fin, toute l'équipe s'est rassemblée autour de moi pour me féliciter. J'étais leur héroïne, leur sauveuse : ils pouvaient compter sur moi pour éviter un fiasco le lendemain. J'ai cherché Parr des yeux mais il y avait tant de monde !

– Les filles, allez chercher vos manteaux, a dit maman. On a intérêt à partir maintenant si vous voulez que j'aie le temps d'amadouer Marie Gerard avant le coucher.

Et voilà. Après ce premier baiser, Parr et moi nous sommes séparés sans un mot, et sans un regard.

245

Et de second baiser, il n'y aurait point. Ainsi en a décidé le destin. La mission de maman a atteint son objectif. Mme Gerard a accepté d'accorder deux jours de liberté surveillée à ses filles contre une semaine de punition supplémentaire.

– Comment tu as fait ? ai-je demandé à maman.

– Je lui ai expliqué la situation. Marie est une personne raisonnable.

Je l'ai regardée d'un œil soupçonneux. Raisonnable ou pas, Mme Gerard ne revenait jamais sur ses sentences.

– Oh, d'accord. Je me suis jetée à ses pieds et je l'ai suppliée de se montrer charitable. Je lui ai dit que j'étais en période d'essai et qu'il me suffisait d'un petit coup de pouce de sa part pour impressionner le doyen et assurer mon avenir à Forefield.

– Futé, maman ! C'est un stratagème digne de Samantha Liu !

– Oui, et ça a l'avantage d'être la vérité.

Privée de la perspective d'un autre baiser de Parr, je me suis vengée en ressassant le souvenir de celui qu'il m'avait donné. Je l'avais vu embrasser l'une ou l'autre des jumelles des dizaines de fois, pourtant ce baiser-là semblait différent. Je n'avais encore jamais remarqué cette expression dans ses yeux : ils paraissaient transformés, chavirés par l'émotion, incandescents. Il m'avait à peine adressé la parole depuis l'horrible boulette de mon père, mais il m'avait embrassée avec ardeur.

J'en concluais qu'il devait m'aimer un peu.

Et Ashleigh ? Ashleigh ! Rien ne m'autorisait à trahir ma meilleure amie. Tant qu'elle l'aimerait, j'aurais les mains liées.

L'intéressée se doutait-elle de quelque chose ? De toute évidence, non. Elle est entrée chez moi en trombe après le dîner.

– Tu as été géniale, Jules ! Je t'avais bien dit que tu y arriverais ! Ta mère a réussi à faire plier Mme Gerard ? Ah, bon ? C'est vrai ? Dommage... Enfin, tant mieux pour Yve et Yo, bien sûr, mais c'est bête pour toi. Tu étais épatante dans le rôle de Tanya ! Ned aussi a été incroyable. Je ne comprends pas pourquoi il ne voulait pas chanter au départ. Il a une voix puissante, j'adore ! Je t'ai trouvée formidable dans les scènes avec Kevin, vous étiez à mourir de rire tous les deux. Et avec Parr ! Oh là là ! Tu es née pour briller sur scène. La prochaine fois, on te confiera un plus grand rôle, j'en suis certaine. Il te manquait juste un peu d'entraînement. Si l'audition de Byz High n'était pas un concours de Miss avec les Michelle Jeffries et autres, je parie que tu décrocherais une place dans le spectacle haut la main.

Et cætera, et cætera. Mes luttes intérieures lui échappaient complètement.

Mon excitation est retombée comme un soufflé, si bien que j'ai abordé la représentation avec une relative indifférence. J'ai renfilé le costume de Mme Lytle avec un calme et une maîtrise qui m'ont surprise moi-même et j'ai rendu le rôle de Tanya à Yvette avec soulagement.

Yolanda lui a cédé sa place pour la première. Après les gros efforts fournis par sa sœur et ses mensonges audacieux pour la couvrir, Yolanda a considéré que c'était la moindre des choses.

Nos parents respectifs ont assisté au spectacle, y compris les Rossi qui se sont installés au premier rang et ont applaudi avec enthousiasme toutes les cinq secondes. Cependant le public était surtout composé de garçons en blazers. Ravi a oublié la phrase qu'il oubliait à chaque répétition ; il a arboré son sourire de tombeur et le public lui a aussitôt pardonné en riant. Ashleigh a chanté d'une voix forte et claire, Alcott d'une voix douce et sincère. Nous sommes tous parvenus à sortir nos notes les plus aiguës et les plus basses. Les numéros de groupe ont fonctionné à merveille ; personne n'a trébuché ni n'est tombé. Grisée par l'adrénaline, j'ai regardé Parr embrasser Yvette depuis les coulisses. J'ai même pris plaisir à saluer à la fin et à recevoir les applaudissements du public. Moi qui étais si terrifiée à l'audition, j'avais accompli un sacré chemin en quelques mois !

La fête de première a été écourtée à cause des autres manifestations inscrites au programme très chargé des Journées Anniversaire du pensionnat. Chris avait réussi à faire entrer une bouteille de vodka en fraude mais avant qu'il puisse s'en servir pour relever les chocolats chauds, les punchs sans alcool et autres boissons chastes fournies par l'école, M. Barnaby l'a trouvée dans la salle des accessoires et l'a confisquée en proférant des avertissements sévères. M. Barnaby, Mme Wilson, Benjo et Ned ont chacun prononcé un discours. Tout le monde s'est congratulé en s'embrassant et en se tapant dans le dos.

J'ai repéré Parr à l'autre bout de la pièce. Il a immédiatement détourné les yeux. Allait-il continuer de bouder, même ce soir ? J'ai craqué. Vu l'ambiance, j'ai pensé que personne ne se poserait de question si... je traversais la foule pour me jeter à son cou.

– Félicitations, Grandison, tu as été génial, me suis-je exclamée en essayant d'étouffer les trémolos dans ma voix.

Il m'a serrée à son tour, très fort.

– Julia ! Toi aussi... surtout hier soir.

Il m'a enfin regardée dans les yeux. J'ai senti la brûlure de ses prunelles bleu pétrole plantées dans les miennes et puis... les jumelles et Emma nous ont rejoints pour nous embrasser. Il a relâché son étreinte. La fête s'est terminée peu après.

La seconde et dernière représentation a beaucoup ressemblé à la première, si ce n'est que la Tanya de Yolanda était plus lumineuse et le public plus âgé que la veille, les anciens élèves ayant remplacé les lycéens actuels.

Après les rappels, le doyen Hanson et le proviseur ont pris le relais pour, *grosso modo*, réclamer des fonds. Ned est resté avec eux sur scène afin d'illustrer l'exemple du parfait artiste boursier dont les progrès prodigieux financés par les chéquiers des anciens élèves venaient d'éblouir l'assistance. Parr, lui, s'est éclipsé et m'a retrouvée dans les coulisses où j'attendais Ashleigh.

– Tiens, c'est pour toi, m'a-t-il dit en me tendant un bouquet de fleurs enveloppées dans des feuilles blanches.

Ashleigh est arrivée, les bras chargés d'accessoires et de costumes en vrac.

– Ah, te voilà, Jules ! Inutile d'attendre Ned. D'après lui, il en a encore pour une bonne heure. On ferait mieux d'y aller. Ta maman va attendre.

– Je vais vous raccompagner, a proposé Parr.

Une spectatrice l'a intercepté avant la sortie. Elle avait les mêmes yeux que lui.

– Dichou, tu as été merveilleux !

– Merci, maman. Mais pas en public, tu te rappelles ?

– Oh, oui, pardon, c'est vrai. Désolée, Dichou, j'ai oublié !

– *Mère* ! Au matricide !

– Pardon, pardon, je voulais dire Grandison.

– C'est mieux. Maman, voici Ashleigh Rossi et Julia Lefkowitz. Ma mère, Susan Parr. Je reviens tout de suite, maman, je vais raccompagner Julia et Ashleigh à leur voiture.

– Ravie de vous rencontrer, les filles. Ne sois pas trop long, Dichhh... Grandison. Ton père est coincé à l'intérieur avec le proviseur.

– « Dichou » ? ai-je répété tandis que nous descendions l'allée.

– Diminutif de « Grandichou ». J'aurais préféré que

250

maman garde ça pour elle. Je l'aime beaucoup et ça me ferait de la peine de devoir la tuer.

– Dichou, c'est toujours mieux que Junior, l'a consolé Ashleigh.

– Ou que Grand-Dadais, Grand-Angle... Ou Dadais ou Tangle, ai-je suggéré.

– Ne t'y mets pas, a grogné Parr. Je serais encore plus embêté de devoir t'assassiner, *toi* !

– Diloquent, ai-je ajouté. Jabestiaux. Tescogriffe. Méchanlou.

– Ça suffit ! Pitié !

– D'accord, Cruclassé.

J'étais si soulagée qu'il veuille bien me parler de nouveau que je me sentais prise de vertige. Nous atteignions déjà la grille.

– Quand est-ce qu'on se revoit ? a-t-il demandé. Vous viendrez à la kermesse de printemps, hein ? Je vous enverrai des invitations. Mais elle n'aura pas lieu avant avril.

– Ned ne t'a pas expliqué ? s'est écriée Ashleigh. On bosse ensemble sur un cycle de chansons. Madame Wilson a donné son accord, ça compte pour la « collaboration de proximité ». On se voit tous les jeudis après-midi quand le studio de musique est libre.

– Oh, Ash ! Tu ne m'avais pas précisé que ça tombait le jeudi ! Je ne pourrai pas être là : il y a les réunions du comité de *Voile*.

– J'ignorais que tu faisais de la voile, a dit Parr. Moi aussi. C'est une obsession chez mon père. Je ferai peut-être des sorties au printemps. On pourrait se retrouver sur le fleuve.

– Non, je parle de *Voile vers Byzance*, le magazine littéraire du lycée, ai-je précisé.

Parr s'est raidi.

– Ah, je vois.

Oh, non ! Il repensait à Seth. J'avais encore tout gâché ! Comment me rattraper ?

– J'aimerais bien arrêter, mais papa me tuerait. Surtout maintenant que *L'Insomnie* est terminée et que je n'ai plus d'autres activités extrascolaires.

Il s'est décontracté un peu.

– Je suis sûr que je trouverai une solution, a-t-il affirmé. On sera bientôt en vacances, de toute façon.

– Quelles vacances ? s'est étonnée Ashleigh.

– Ben, celles de février... Vous n'en avez pas ? Nous, si. Mes parents ont l'habitude d'aller dans le Vermont, mais je crois que c'est l'année idéale pour rester dans notre maison de Steeplecliff.

La voiture de maman nous attendait. Nous nous sommes dit au revoir.

Quand Ashleigh a déposé la tonne d'accessoires et de costumes sur le siège arrière, j'ai constaté qu'elle tenait elle aussi un bouquet de fleurs enveloppées dans du papier à la main : des tulipes. Elle a jeté un œil aux miennes, qui étaient plus longues et de la famille des lis.

– Oh, Ned t'a offert des fleurs à toi aussi !

– Non, elles viennent de Parr.

– Ned les a volées dans le jardin d'hiver. Face-de-Dindon a failli le prendre sur le fait, a-t-elle annoncé fièrement. Ça lui ressemble bien de les partager avec Parr.

Pendant que nous nous éloignions, j'ai aperçu ce dernier près de la grille. Il nous a suivies des yeux jusqu'à ce que le premier virage nous dérobe à sa vue.

Chapitre 21

Le chiffon anti-électricité statique.
– La nouvelle passion d'Ashleigh.

Fini. Terminado. Plus d'*Insomnie d'une nuit d'hiver*. Plus de Forefield. Plus de Parr.

Je me préparais à vivre de longues semaines vides et mornes.

Ashleigh, la chanceuse, a entamé sa collaboration musicale avec Ned dès le jeudi suivant, tandis que je rencontrais mes camarades du magazine au lycée.

– Mauvaise récolte ! a tonné notre rédactrice en chef en agitant quelques maigres pages. On manque cruellement de propositions. Allez, les jeunes, bougez-vous, battez le tambour, débusquez les talents. Faites travailler vos méninges. Qu'est-ce qui se passe ? Tout le monde a forcément un chef-d'œuvre chez soi, caché au fond d'un tiroir. Maggie ? Andrew ? Julie ? C'est quoi, votre problème ? Allons, Julie, je suis sûre que tu as un texte planqué quelque part. Ne mens pas : tu as toujours de l'encre partout, des doigts jusqu'au coude.

– Ne fais pas ta timide, Julie, est intervenu Seth. As-tu avancé sur le sonnet dont tu m'as parlé ?

J'ai démenti avec force. L'expression de mes sentiments, qu'elle soit poétique ou pas, était trop intime et
trop sacrée pour être livrée en pâture à ces gens-là.

Comme ma mère travaillait, Seth m'a ramenée à la
maison après la réunion.

– Tu ne veux pas me montrer ton sonnet ? a-t-il insisté
perfidement en se garant devant chez moi.

Il cherchait un prétexte pour se faire inviter, à coup
sûr.

– Je peux le relire avant que tu le soumettes au
comité, et t'aider avec les rimes et la prosodie, si c'est ce
qui t'inquiète. Je parie que je pourrais te l'arranger en
un clin d'œil.

– Il n'y a pas de sonnet ! Fiche-moi la paix avec ça,
d'accord ?

– D'accord. Désolé, je ne savais pas que tu étais si sus-
ceptible ! Tu as tort de te vexer pour un rien. Tu écris plutôt bien, tu sais.

– Ouais, merci, à demain.

J'ai claqué la porte et je suis rentrée chez moi comme
une fusée. Je suis montée dans ma chambre et j'ai envoyé
un mail à Parr. Je ne voulais pas au départ mais ça a été
plus fort que moi.

*Merci encore pour les superbes fleurs. Elles viennent juste de
s'épanouir. Je les ai posées à côté de moi sur le bureau afin de
les avoir toujours sous les yeux. Ned les a-t-il vraiment volées
dans le jardin d'hiver, comme le pense Ashleigh ?*

256

Parr a répondu immédiatement :

Chère Julia,
Crois-tu que j'enverrais quelqu'un d'autre commettre mes
méfaits ? J'ai volé toutes ces amaryllis de mes propres mains.
Tu me manques.
CGP

Mes avant-bras couverts d'encre se sont mis à picoter. Je l'avoue : j'ai même embrassé l'écran. Il le pensait sincèrement ? Est-ce que je lui manquais aussi cruellement qu'il me manquait ? Mais à quoi bon toute cette souffrance, tant que nous serions séparés et que les sentiments d'Ashleigh s'opposeraient à notre bonheur ? Retenant un cri de frustration, j'ai sorti un chiffon anti-électricité statique de mon tiroir et j'ai nettoyé la marque de mes lèvres sur l'écran.

Quand Seth m'a raccompagnée le jeudi suivant, Ashleigh m'attendait sur sa véranda, emmitouflée dans le grand plaid duveteux de son canapé. En nous voyant arriver, elle s'est précipitée en bas des marches et a couru jusqu'à la voiture. Les coins de son plaid traînaient dans l'herbe sèche.

– Te voilà, Julie ! Il faut que je te parle.

Seth a pris un air revêche. Il devait haïr Ashleigh autant que ma belle-mère maintenant. Mais quel bonheur pour moi de tomber sur un chaperon à cet instant crucial où, juste après s'être garés, les garçons ont toutes les audaces. Avec Ashleigh dans les parages, je ne courais aucun risque. Seth m'a laissée descendre avant de repartir sur les chapeaux de roues.

– Merci, Ash. J'ai toujours la trouille qu'il essaye de m'embrasser pour me dire au revoir. Qu'est-ce qu'il y a ?

Elle me semblait bigrement sérieuse et mal à l'aise.

– Il fait froid ici. Montons dans ma chambre, a-t-elle proposé.

Je l'ai suivie à l'étage et je me suis assise sur son lit. Elle s'est installée sur sa chaise de bureau. Elle n'arrêtait pas de gigoter, sans décrocher un mot.

– Qu'est-ce qui se passe ? Tu es toute bizarre.

– Jules, je... (Elle a marqué une pause et a pris une profonde inspiration.) Julie, est-ce que c'est vraiment vrai que...

Elle n'a même pas réussi à terminer sa phrase.

– Quoi ? De quoi tu parles ?

– Est-ce que tu penses vraiment ce... ce que tu répètes tout le temps à propos de Ned ?

– Hein ? Ash, dis-moi ce qui ne va pas. Je ne comprends rien. Qu'est-ce que je répète tout le temps ?

Elle a ouvert et fermé la bouche à plusieurs reprises, sans parvenir à articuler sa réponse.

– Explique-toi ! Ce n'est pas moi qui jacasse sans cesse au sujet de Ned, c'est toi. Je ne sais pas pourquoi tu veux absolument que je l'aime. Il est super gentil, mais je n'ai jamais été amoureuse de lui.

– Voilà ! C'est exactement à ça que je faisais allusion. Tu es sincère ? Tu ne dis pas ça en l'air ?

– Mais oui ! Enfin, non !

– Tu en es sûre et certaine ?

– OUI, J'EN SUIS SÛRE ET CERTAINE ! Pourquoi tu me poses ces questions ?

– Parce que... Je... Il... Le truc, c'est que... Nous...

Mon cœur a commencé à battre avant que je comprenne pourquoi. Et puis ça a fait tilt.

– Ash, tu l'aimes ? C'est ça ?

Elle a acquiescé, la gorge serrée. Je ne l'avais jamais vue aussi embarrassée. J'avais envie de pousser des cris de joie. Je l'ai prise dans mes bras.

– Ash ! Vous êtes faits l'un pour l'autre !

– Ça ne t'embête pas, alors ?

– Si ça m'embête que ma meilleure amie soit amoureuse d'un type chouette ? Tu rigoles ! Et il t'aime aussi. C'est tellement évident. Les fleurs ! La musique ! Je me demande comment j'ai pu passer à côté jusqu'à maintenant !

Elle a hoché la tête.

– Oui, je crois... En tout cas, il m'a embrassée.

– Il t'a embrassée ? Hein ? Quand ? Raconte-moi !

L'événement s'était produit dans le studio de répétition insonorisé.

– Tu côtoies quelqu'un toutes les semaines ; peu à peu tu prends conscience de vos points communs – la musique, le goût pour les petites farces et les plaisanteries, l'envie d'essayer un tas d'instruments différents, la curiosité pour plein de sujets – ; et un beau jour, tu te retrouves assise sur la même banquette de piano que lui,

259

dans une intimité complète et... Oh, Julie ! Il est merveilleux ! Il a la plus belle voix au monde ! Ses doigts sont
si musclés à force de jouer du piano et j'adore la corne
qu'il a sur la main gauche à cause du violoncelle. Tu
aimes le violoncelle ? Ça a une sonorité expressive et sexy
– comme lui. Quand j'embrasse Ned, je ne ressens pas la
même chose qu'avec Ravi. Non, rien à voir. Il était un peu
intimidé alors c'est moi qui l'ai embrassé la première en
réalité. Il m'a avoué ensuite qu'il allait craquer une frac-
tion de seconde plus tard, de toute façon.

Une fois persuadés de ce qu'ils éprouvaient l'un pour
l'autre, un seul obstacle restait en travers de leur chemin : la générosité d'Ashleigh, sa loyauté envers moi. Elle
n'arrivait toujours pas à se convaincre que je lui disais la
vérité. Comment imaginer qu'une fille qui connaissait
Ned puisse ne pas l'aimer aussi fort qu'elle ? Il a fallu que
je la rassure, encore et encore.

J'ai hésité à lui révéler que mon cœur allait à Parr,
mais j'ai tenu le coup. Ned accaparait ses pensées pour
l'instant. Dès que sa curiosité serait éveillée, elle ne me
laisserait plus en paix. Mes sentiments délicats n'étaient
pas prêts pour un interrogatoire en règle. Et puis je ne
voulais pas lui gâcher son moment.

Elle a laissé exploser sa joie jusqu'au bout de la soirée.
Je n'ai pas tardé à prendre conscience que son attachement pour Ned représentait plus qu'un simple revire-
ment amoureux : il s'agissait de sa nouvelle passion.
J'aurais dû m'en douter. Tous les signes avant-coureurs
étaient réunis : son fléchissement en matière de pudeur

et de bienséance, son intérêt croissant pour *L'Insomnie d'une nuit d'hiver*, son enthousiasme pour les comédies musicales en général, etc. Ses parents l'avaient noté bien avant moi, d'où les billets pour Broadway. Et lorsqu'elle avait insisté pour faire le pied de grue devant la maison de ville de Parr, c'était pour voir Ned. Tout s'éclairait à présent.

– Et Parr, alors ? ai-je fini par demander, le cœur battant.

– Quoi ?

– Tu « languissais d'amour » pour lui en octobre, tu te rappelles ? Tu paraissais sincère.

– Oh... oui... À l'époque, j'ignorais ce qu'était vraiment l'amour. Tu avais raison au bout du compte : Ned correspond le mieux à Darcy ! Je n'ai rien contre Parr, il est très sympa, mais il est différent... Il n'a pas la même flamme. Ned a plus de talent, d'intensité, de bonne humeur, d'inventivité... plus de vie, quoi. Tu vois ce que je veux dire ?

Chapitre 22

Un traquenard. – Seth s'avoue vaincu. – Une bague.
– Sixième baiser de l'auteur. – Un acrostiche.

Je me suis endormie ivre de bonheur cette nuit-là. L'honneur ne barrait plus la route de mes désirs.

À mon réveil le lendemain matin, une bruine tombait du ciel grisâtre. J'ai compris qu'au fond, rien n'avait changé. J'étais enfin libre d'aimer Parr, oui, mais à quoi cela m'avançait-il si je ne pouvais pas le voir ?

Pour achever de me déprimer, je me suis souvenue que j'avais promis à Seth, dans un moment de faiblesse, de boire un verre au Java Jail avec lui après les cours. Au moment où je m'étais engagée, je croyais qu'une éternité me séparait de ce rendez-vous désagréable, et que j'aurais tout le temps de m'y préparer psychologiquement. Et nous y étions déjà... Je me voyais m'enliser dans le marécage des espoirs de Seth tandis que la voile dorée de mon amour vacillait au loin sur l'horizon.

J'ai envoyé un texto à Ashleigh : « sos je vois seth o java 7 aprem vien stp stp stp !! g besoin 2 toi ». Elle m'a répondu aussitôt : « tu devré le largué arrete t betiz c + importan ! mé tkt je seré la ».

263

Comme d'habitude, elle a tenu parole.

– Jules ! Seth ! Venez vous asseoir ici ! a-t-elle hurlé depuis le fond de la salle.

Elle tapotait deux chaises à côté d'elle. J'ai marché dans sa direction d'un pas résolu tandis que Seth traînait les pieds en tentant de m'orienter vers d'autres tables.

À peine étions-nous assis qu'Ashleigh a fondu sur Seth.

– En tant que littéraire, à ton avis, quelles qualités faut-il rechercher dans un poème si on veut le mettre en musique ?

Elle avait trouvé la question parfaite : flatteuse, de nature à entraîner une réponse longue et circonstanciée, voire utile – du moins pour elle. Après quelques tentatives, de plus en plus faibles, pour se défiler, Seth a fini par s'échauffer. Il en serait presque venu à oublier sa colère contre mon amie, et son désir ardent mêlé de rancœur envers moi. Il m'a tourné le dos à moitié pendant qu'il exposait ses arguments. Je n'ai jamais autant eu envie de sauter au cou d'Ashleigh.

Leur aparté m'a permis de rêvasser en toute tranquillité. Mon esprit a naturellement dérivé vers son rivage préféré : Parr.

Et miracle : comme si je l'avais invoqué, il m'est apparu. Il se faufilait dans la foule en compagnie de Zach Liu. Ce dernier l'a poussé devant moi avec un petit sourire satisfait.

– Tiens, ma sauterelle, je t'apporte un cadeau d'anniversaire en retard.

– Zach ! Parr ! Venez vous asseoir avec nous ! s'est écriée Ashleigh en tirant une autre chaise.

Zach a pris place à côté d'elle.

– Seth, tu connais Zach Liu ? a-t-elle demandé.

Elle a fait un clin d'œil à Parr, avant de lui envoyer un coup de pied discret.

– Et tu as déjà rencontré Grandison Parr, le petit ami de Julie ? a-t-elle poursuivi.

– Ton petit ami ? s'est étranglé Seth.

Mon sang n'a fait qu'un tour. J'ai jeté un regard plein de détresse à Parr. Il m'a adressé un sourire à la fois tendre et rusé, plein d'espièglerie et d'espoir. J'ai pris une grande inspiration et j'ai décidé de jouer le jeu.

– Oui, mon copain, Grandison. Vous vous étiez déjà croisés, il me semble ?

– Salut, *chérie*, a dit Parr en s'installant près de moi.

– Je n'avais pas compris que vous étiez ensemble, a lâché Seth d'un air froissé.

– Oh, ce... ce n'était pas le cas... à l'époque..., ai-je balbutié. En fait, nous...

Zach était au bord du fou rire. Ashleigh s'est dépêchée d'intervenir.

– Nous discutions du choix des paroles d'une chanson. Seth pense que le rythme joue beaucoup, ainsi que la qualité des assonances et des allitérations. Et toi, Parr, qu'est-ce que tu en penses ? Parr a écrit toutes les paroles de *L'Insomnie d'une nuit d'hiver*. Il est incroyable. C'est comme ça qu'ils se sont connus avec Julie. Elle est très sensible à la poésie.

Et blablabla, et blablabla... J'ai éprouvé de nouveau cette sensation terriblement familière après toutes ces années d'amitié avec Ashleigh : une honte mortelle. J'ai détourné le visage. Parr a glissé son bras autour de mes épaules.

– Ça va, *mon ange* ?

– Beaucoup mieux depuis que tu es là, a glissé Ashleigh.

Je me suis redressée et je lui ai filé un bon coup de pied sous la table. Seth a toussoté. Il était pâle. Il me fendait le cœur.

– Bon, je vais y aller, a-t-il déclaré en se levant. On a une tonne de devoirs à faire ce week-end.

– Oh, déjà ? C'était sympa de te rencontrer en tout cas, a affirmé Zach.

– Au revoir, Seth, à lundi, ai-je dit.

– Mardi, a rectifié Ashleigh. Week-end de trois jours.

– Ah, oui. À mardi.

Seth a esquissé une sorte de courbette un peu raide, puis il a pris congé.

– Ashleigh ! me suis-je écriée. C'était trop gênant. Et méchant en plus.

– Quoi ? Tu te plains que tu n'arrives pas à te débarrasser de lui depuis des semaines.

– C'est vrai ? a demandé Parr.

– Oui, c'est vrai, a-t-elle confirmé. C'est encore plus méchant de le laisser espérer et d'accepter ses rencards alors que tu ne l'aimes pas, à mon avis. Maintenant, au

266

moins, je ne serai plus obligée de te chaperonner tout le temps.

Un détail dans cette phrase a subitement rappelé à Zach qu'il devait se méfier de l'heure. Il a consulté sa montre.

– Oups ! Faut que j'y aille. Viens, Haschich, je te raccompagne.

– Merci, Zach, mais ce n'est pas la peine...

– Sois pas reloue ! Tu sais bien que ma sœur a besoin de toi pour un truc, a-t-il insisté en la prenant fermement par les épaules.

– Quoi ? Oh. Oh ! Oui, bien sûr, ce truc-là !

Elle a attrapé son manteau d'une main tandis que Zach la propulsait en direction de la sortie.

– À plus tard !

Et voilà comment je me suis retrouvée en tête-à-tête avec Charles Grandison Parr à l'intérieur du café bondé. Il m'a fait un grand sourire, m'a pris la main et m'a murmuré :

– *Chérie* ! Enfin seuls !

Tout ceci n'avait beau être qu'une vaste farce, il n'empêchait que sa main était gelée. Peut-être même qu'elle tremblait un peu. La mienne, sûr.

– Ashleigh est tellement embarrassante parfois. Désolée ! Ou plutôt merci.

– Pas de problème. Je suis ravi de te rendre service. Surtout si c'est pour te débarrasser de types qui te harcèlent. Au moindre souci avec un garçon, n'hésite pas à dire qu'on sort ensemble.

– Sérieux ?

– Oui, évidemment. J'irais jusqu'à me déplacer pour le menacer avec mon épée. En parlant de se débarrasser de garçons, as-tu terminé ton café ? J'aperçois des gars de l'équipe d'escrime qui s'approchent et je n'ai pas spécialement envie de traîner avec eux. Je les vois tout le temps. Et toi, pas assez. Ça te branche d'aller te promener du côté du fleuve ?

– Oui, bien sûr.

Il a déposé un pourboire sur la table et a tenu mon manteau par le col. Personne ne m'avait aidée à l'enfiler depuis l'enfance. J'ai tâtonné un peu avant d'enfoncer mes bras dans les manches puis il l'a délicatement remonté sur mes épaules.

Les températures étaient clémentes pour un mois de février, ce qui lui donnait un avant-goût de printemps. La pluie avait cessé, laissant une moiteur dans l'air. Nous avons parcouru en silence les six pâtés de maisons qui nous séparaient des voies ferrées en respirant l'odeur du fleuve qui coulait juste derrière. Ensuite, nous avons emprunté le passage souterrain avec ses lumières crues, ses vrombissements assourdissants et son écho, pour ressortir enfin sur la rive calme et paisible.

– Allons voir s'il y a des gens dans le kiosque à musique, a suggéré Parr.

Bien entendu, nous l'avons trouvé vide. Les autres habitants n'avaient pas oublié qu'on était en hiver, eux.

Nous nous sommes assis sur un banc en bois, face au fleuve, à l'abri du vent.

– Tu ne devrais pas être au lycée ? ai-je demandé.

– Vacances de février, tu te souviens ? Je reste en famille à Steeplecliff. En vérité, je te cherchais. Je voulais te donner quelque chose.

Il a tiré un écrin de sa poche.

– Qu'est-ce que c'est ?

J'ai ôté mes gants et je l'ai pris avec précaution entre mes doigts tremblants. Il renfermait une bague : un anneau en argent où s'enchâssait une pierre noire.

– Elle te va toujours ? Essaie-la. J'ai peur de l'avoir faite trop petite : j'ai dû insérer une bande d'argent sous l'onyx. Dans ce cas, rends-la-moi, je l'agrandirai.

– Tu l'as fabriquée toi-même ?

Il a hoché la tête.

Elle était trop grande pour mon annulaire, mais parfaitement adaptée à mon pouce gauche. Je l'ai examinée de plus près.

– Attends ! Ne me dis pas que c'est ma bague ! Celle qui s'est cassée ?

– Je m'en voulais tellement. Je tenais à la réparer.

– Il ne fallait pas... Elle est magnifique ! Tu es doué dans tout ce que tu entreprends où il existe des trucs que tu ne sais pas faire ?

Il a éclaté de rire.

– Euh... des tas ! Je suis même assez nul sur l'essentiel. Par exemple, il y a une chose dont je me sentais complètement incapable jusqu'à maintenant, mais je commence à me demander si... Voyons...

Et il m'a embrassée.

Comme ses lèvres étaient froides... puis chaudes ! Mon sixième baiser. Mon premier, en réalité. Le ciel bleu, le fleuve bleu, son regard bleu embrumé, la condensation de nos souffles qui formait un seul et même nuage. Mes doigts gelés, son cou frais, tiède sous l'écharpe. J'ai touché sa fossette. Nous nous sommes embrassés encore.

– Je reviens sur ce que j'ai dit, a-t-il déclaré d'une voix rauque. Tu as raison. Je suis capable de tout.

Il a enlevé mon chapeau et a posé sa bouche sur mon front, mes pommettes, mes tempes.

– J'en avais tellement envie. Surtout cette nuit-là.

– Alors pourquoi ne l'as-tu pas fait ?

– Pourquoi ? Je ne suis pas du style à débarquer dans la chambre d'une fille au beau milieu de la nuit pour l'embrasser. Et puis je n'étais même pas sûr de te plaire.

– C'était évident ! Je suis venue passer l'audition à Forefield. Ensuite je te tournais sans arrêt autour sous le prétexte de t'aider à répéter.

J'ai frissonné. Il m'a serrée contre lui et a appuyé son menton sur mon crâne. Sa voix vibrait dans mes os. Mon cœur battait la chamade.

– Évident ? Tu ne me parlais jamais si je ne t'adressais pas la parole le premier. Et puis il y a eu cette histoire avec Seth. Tout le monde prétendait que c'était ton copain. J'ai failli renoncer.

– Oh, Seth ! Quelle horreur ! J'ai cru mourir. Mais je croyais que tu avais une copine, moi aussi. Une amie de Samantha Liu t'a vu danser avec une grande blonde au bal.

Il s'est écarté et m'a dévisagée.

– Quoi ? Tu plaisantes, là ?

– Non. Elle se trompait ?

– Pas exactement, s'est-il esclaffé. J'ai bien dansé avec une blonde enchanteresse au bal, mais elle n'était pas ma petite amie à ce moment-là. Tu n'as aucune idée de qui il s'agit ?

J'avais l'impression de me tenir au bord d'un précipice, en équilibre précaire au-dessus des rochers tranchants de la jalousie. Je me suis cachée contre son torse.

– Une... Kayla quelque chose ? ai-je marmonné dans les plis de son manteau.

– Non, que t'es bête ! C'était toi ! Tu n'avais pas compris ? Je me suis transformé en crétin intégral. Je rêvassais autour de ta maison, je t'écrivais des poèmes sans même savoir si tu les lisais. J'ai commencé à y croire un peu quand j'ai vu mon sonnet épinglé sur ton tableau. Mais tu ne l'as jamais mentionné.

– Je ne savais pas si tu l'avais écrit pour moi ou pour Ashleigh.

– Pour Ashleigh ? s'est-il écrié en se reculant de nouveau. Il y avait ton nom dedans !

– Tu fais allusion à Juliette ? « Mon soleil, ma Juliette » ? Ashleigh l'a interprété comme ça. Je n'osais pas la croire.

271

– Non, je parle de ton nom : Julia Lefkowitz ! Bon, Juliette aussi, d'accord, j'aimais l'écho. Mais si tu regardes les premières lettres de chaque vers, tu verras ton nom apparaître. C'est un acrostiche – quatorze lettres, quatorze vers. Tu ne t'en es pas rendue compte ? Waouh, je me sens idiot.

Pas autant que moi.

– O.K., j'ai un cerveau en chamallow, ai-je admis. Tu me détestes maintenant ?

Sa réponse a été étonnamment longue et convaincante. Après cela, j'ai dû renoncer à tenir le compte des baisers donnés et reçus.

Chapitre 23

La béatitude. – Un adieu.

Dix jours de bonheur sans précédent ont suivi. Parr trouvait le moyen de venir à Byzance presque quotidiennement et bien que le temps soit de nouveau à l'hiver, nous sentions à peine le froid. Nous nous tenions par la main au Cinepalace pendant les projections de thrillers et de comédies romantiques, mais l'action qui se déroulait dans la salle nous empêchait de bien voir ce qui se passait sur l'écran. Nous passions des heures à parler de livres au restaurant Chez Andrezo, le rival démodé du Java Jail où le café était chaud, les patrons un peu débraillés et les box pourvus de dossiers hauts.

Ned passait ses vacances à Forefield. Ashleigh et lui nous rejoignaient parfois. Lors de ces occasions, le niveau sonore était multiplié par trois.

Forte de son succès auprès des Gerard, maman a obtenu un contrat pour l'année suivante. Elle en a aussitôt informé mon père par courrier recommandé. Grisée par son nouveau salaire fixe, elle a monté le thermostat à vingt degrés et dans son allégresse, elle a

273

même transformé la réserve des Trésors d'Hélène en atelier de peinture – ou plutôt, elle a rétabli la fonction qu'avait cette pièce durant ses premières années de mariage. Parr a passé toute une après-midi chez nous afin de nous prêter main forte pour les travaux.

Il m'a invitée à déjeuner chez ses parents le deuxième samedi des vacances. Leur maison à Steeplecliff possédait des murs de pierre, des plafonds bas et des sols irréguliers : bref, tout le charme des vieilles demeures.

– Alors voilà pourquoi Dichou passait autant de temps à Byzance ces dernières semaines ! Je commençais à me poser des questions, a avoué Mme Parr (ou Susan comme elle m'a priée de l'appeler).

Son sourire éclatant me rappelait celui de quelqu'un d'autre.

À mon grand soulagement, il s'est avéré que mes manières à table différaient peu des leurs. Charles Grandison Père (alias Chip) ponctuait même ses phrases à l'aide de sa cuisse de poulet. Il s'est pris de sympathie pour moi tout de suite, insistant pour me faire visiter le hangar où il construisait son bateau à voile.

– Peut-être parviendras-tu à éveiller l'intérêt de Dichou pour la navigation, m'a-t-il confié. La moitié de ses ancêtres étaient capitaines de navires.

J'ai trouvé la chambre de Parr à l'étage délicieusement révélatrice. Même si, à l'évidence, il avait rangé en mon honneur, sa nature désordonnée sautait aux yeux. Des livres, des nids d'oiseaux abandonnés et des accessoires d'escrime formaient des piles en équilibre instable aux quatre coins de la pièce. J'ai appris qu'il adorait observer les oiseaux. C'était la mauvaise saison pour les oiseaux migrateurs exotiques, mais il m'a régalée avec ses histoires sur les amours et les rivalités des corbeaux du coin.

La série complète des romans maritimes de Patrick O'Brian s'élevait en colonne derrière sa porte. Il a reconnu les avoir tous lus.

– Mais ne le dis pas à mon père, il serait trop content.

Il m'a prêté le premier à la condition expresse de le garder hors de portée d'Ashleigh pendant quelques semaines.

– Autant qu'elle partage les mêmes centres d'intérêt que Ned le plus longtemps possible.

Il m'a été très pénible de me traîner tous les matins à l'école au cours de cette période paradisiaque. Je regrettais particulièrement mes jeudis après-midi gâchés par les réunions de *Voile vers Byzance*. Seth a pris soin de continuer de me parler autant qu'avant, comme pour me prouver qu'aucune intention particulière ne s'était cachée derrière ses prévenances. Il n'a pas tardé toutefois à s'intéresser à la jolie Margaret Barsky, une grande bringue qui assistait au cours de bio de Mme Milburn avec nous, et qui avait les cheveux de la même couleur que les miens. Ils ont commencé à s'afficher en couple régulièrement au Cinepalace et au Java Jail. Je la surprenais souvent en train de me regarder d'un air de triomphe mêlé d'antipathie. De temps en temps, j'interceptais aussi un coup d'œil de Seth. Il semblait si plein d'une émotion rentrée que je m'en suis voulu de ne pas avoir douché plus tôt ses ambitions.

Mon père et ma belle-mère sont restés inconsolables. Ils m'ont clairement fait comprendre que jamais Parr ne remplacerait Seth dans leurs cœurs.

Après la reprise des cours à Forefield, Parr et moi avons dû nous contenter des mails pendant plusieurs semaines. Puis nous avons eu l'excellente idée de devenir tous les deux bénévoles au Centre du Bel Âge de Byzance le mardi soir. Cette activité serait un atout majeur dans mon dossier pour la fac – du moins, c'est sous cet angle que j'ai présenté la chose à mon père.

Yvette Gerard, après son expérience positive dans *L'Insomnie*, a décidé qu'elle aussi aimait monter sur les planches. Avec un peu d'aide en coulisses de la part de Samantha, les jumelles et Ashleigh sont parvenues à abolir la mainmise de Michelle Jeffries et de sa clique sur les comédies musicales de Byz High. Ash s'est proposée de composer les musiques du spectacle monté au printemps et, après de nombreuses sollicitations, j'ai fini par accepter d'écrire les paroles.

Avec toutes ces occupations, le temps a passé très vite. Nous sommes déjà en avril à présent. La kermesse de printemps de Forefield a lieu samedi prochain. Parr et Ned nous ont donné nos invitations dès qu'elles sont sorties de chez l'imprimeur. Nous avons hâte de les agiter sous le bec de Face-de-Dindon !

Depuis quelques jours, Ash ricane mystérieusement en cachant des partitions chaque fois que j'apparais à sa fenêtre. (L'arbre s'est libéré de sa gaine de glace depuis plusieurs semaines, mais il faut que je fasse attention à ne pas déchirer les jeunes pousses.) Je les soupçonne, Ned et elle, de me préparer une surprise, peut-être une adaptation sous forme de valse ou de quadrille de la chanson qu'Ashleigh a tirée de mon poème – celui que j'avais écrit il y a si longtemps, à l'époque où Parr ne représentait qu'un rêve inaccessible à mes yeux.

Jusqu'à présent, la passion d'Ashleigh pour la musique ne faiblit pas. Un jour, son enthousiasme se tournera vers un autre objet, c'est inéluctable. Mais nous croyons fermement, Parr et moi, que jamais sa loyauté naturelle envers les êtres aimés ne l'abandonnera.

Remerciements

Je tiens à remercier tout d'abord Anna Christina Büch-
mann. Nul écrivain ne saurait avoir d'amie plus chaleureuse,
ni de meilleure lectrice. Je défie également quiconque de trouver un mari plus aimant et enthousiaste qu'Andrew Nahem,
qui m'a fourni ma meilleure plaisanterie et m'a appris tout ce
que je sais à propos des happy ends. Pour leur perspicacité,
leur encouragement et leur générosité, je suis aussi largement
redevable à Nancy Paulsen, mon éditrice ; Irene Skolnick, mon
agent ; et Michael Abrams, Mark Caldwell, Eunice Chan, Sta-
cey D'Erasmo, Lisa Dierbeck, Carol Dweck, John Hart, Elizabeth Judd, Katherine Keenum, Eleanor Liu, Anne Malcolm,
Shanti Menon, Christina Milburn, Laura Miller, Laurie Muchnick, James O'Shea, Lisa Randall, Jenna Reback, Maggie Robbins, Andrew Solomon, Cindy Spiegel, Jaime Wolf et Shenglan
Yuan. Enfin, pour leur amour, leur soutien, leur intelligence
et leur heureux caractère, je voudrais remercier les membres
de ma famille : mon frère, Theodore Shulman ; ma mère et
mon beau-père, Alix Kates Shulman et Scott York ; mon père
et ma belle-mère, Martin et Beverly Shulman ; ainsi que tous
les Nahem, en particulier ma nièce Emily et mon beau-père,
Sam, qui était aussi tendrement aimé qu'il était chauve.

D'autres livres

www.wiz.fr
Logo Wiz : Cédric Gatillon

Composition Nord Compo
Impression : Imprimerie Floch, septembre 2010
Editions Albin Michel
22, rue Huyghens, 75014 Paris

ISBN : 978-2-226-20870-5
ISSN : 1637-0236
N° d'édition : 18772/01 − N° d'impression : 77437
Dépôt légal : octobre 2010
Loi n° 49-956 du 16 juillet 1949 sur les publications destinées à la jeunesse.
Imprimé en France.